Llyfr Gwyrdd Ystwyth

Argraffiad cyntaf: 2020
ISBN 978-1-911584-28-5

Cyhoeddwyd gan Gyhoeddiadau Barddas.
www.barddas.cymru

Cyhoeddir gyda chymorth ariannol Cyngor Llyfrau Cymru.

Cynllun clawr: Dylunio GraffEG.

Argraffwyd gan Y Lolfa, Tal-y-bont.

Llyfr Gwyrdd Ystwyth

Eurig Salisbury

Cyhoeddiadau
barddas

I Rhiannon

Cynnwys

Ailagor

heddiw'r bore,
ac yfed disgled o de;
rhoi'r stoliau i lawr, eiste lan,
a sgwrio pres ac arian.

Mae'r pren ar lawr yn sawru,
tyllau'n ei baent lle na bu,
a dau beint o ddiheintydd
ar y bar. Am oriau bydd

gwaith dwylo'n ei hiro hi,
a llonydd yn ei llenwi,
nes i nawr noson arall
roi ei llawnder yn lle'r llall.

Ger y Lli

Lle daw holl lid yr ewyn
O'r môr i chwarae mig,
Mae gwylan deg gerllaw heb dôn
Na physgod yn ei phig.

A disgwyl mae'r hen wylan
Am ein holl anthemau ni,
Negesydd parod wrth y trai,
Ein llatai ger y lli.

Dos, wylan annwyl heno,
Gwna i'r sêr dros Aber wibio,
Gwna i bâr o adar heidio
I'r lle hwn,
Dos i'r oed yn nhre'r cariadon,
Dos i ddweud ein haddewidion,
Dos i goleg dwys y galon
Ger y lli.

Fe rown yn llafar heno
Anthem deg i'th ofal di,
Rhag berw'r don, rhag ewyn mân,
Hon yw cân ein hafan ni.

Ymwelwyr wrth eu miloedd
A gwŷr mewn dillad gwaith,
Gwna'n siŵr y cyrraedd awen hon
Bob calon ym mhob iaith.

Dere, wylan annwyl heno,
Gwna i'r sêr dros Aber wibio,
Gwna i bâr o adar heidio
I'r lle hwn,
Dere i'r oed yn nhre'r cariadon,
Dere i ddweud ein haddewidion,
Dere i goleg, gwesty'r galon,
Ger y lli.

Dros farn y dafarn dafod
A siarad mân y stryd,
I fyw y cymanfaoedd
A'r cychod gwyn i gyd,
Drwy'r gân gall llongau'r byd yn grwn
Angori yn nŵr yr harbwr hwn.

Dos, wylan annwyl heno,
Gwna i'r sêr dros Aber wibio,
Gwna i bâr o adar heidio
I'r lle hwn,
Awn i'r oed yn nhre'r cariadon,
Awn i ddweud ein haddewidion,
Awn i goleg yn y galon
Ger y lli.

Y Ganolfan Uwchefrydiau, Aberystwyth

yn ddeg ar hugain, Hydref 2015

Rhwng y Llyfrgell a'r gelli – is y dail,
    Rhwng y stacs a Panty,
  Mae man canol tafoli
  Goludoedd ein hieithoedd ni.

Ewch ganwaith i gwch gwenyn – a chi gewch
    O gell bob diferyn;
  Rhoi tast ar ddiliau'r testun
  Mae'r haid rhwng y muriau hyn.

Fel derwen gyfled, iraidd – ara' deg
    Hir dwf academaidd,
  Y maes llên yw'r mes lluniaidd,
  Ymchwil yw'r grym uwchlaw'r gwraidd.

Mae'r waddol i ymroddi – y tu hwnt
    I hon? Mae'r arloesi?
  Mae'r adnodd? Mae'r buddsoddi?
  Arall ni all a wna hi.

Fis o aeaf, os heuwn – holl hadau'r
    Drws aur a drysorwn,
  Yr haf fe gynaeafwn
  Yng ngardd ei seintwar ddi-sŵn.

Adail i grefft hawlio grant – wele dŷ'r
    Rhidyllwyr diwylliant;
  Yno'n fodlon fe hidlant
  Yn dri deg oed draw hyd gant!

Theatr Arad Goch

ar ei newydd wedd, Medi 2019

Mae yn y dre ddirgelion,
Mae yn y dre wahoddion,
Mae yn y dre un lle sy'n llawn
– Os awn – o hud a swynion.

Doi heddiw o hyd iddo
Lle gweli'r haul yn gwawrio,
A sglein cylltyrau arad cain
O haearn cywrain arno.

Mor rhwydd yw agor drysau
Heb guro, heb ddweud geiriau,
A hwylio i mewn i neuadd fawr
Bum llawr rhwng cyfyng furiau.

Der mas i wres y croeso,
Der mewn i'r dramâu heno,
Der nôl drachefn ... ond siawns gen i
Na weli'r holl ddirgelion!

Yn y coch

Bybl i bawb yw Aber,
neuadd fawr tair blynedd fer,
swigen aur lle swigiwn ni
o afael ein cartrefi,
a dim i'w wneud ond mwynhau
diodydd a nodiadau.

Ond mae'n fybl mewn dyled,
bybl lawn ar ymyl blêd.
Tyllwn ni'r twll yn y wal
â'i gan ceiniog i'n cynnal;
â'r peiriant arian taerwn:
'un tenyr, syr!' yw ein sŵn.

Nythwn ym mhlygion eithaf
overdraft o Fedi i'r haf,
a gwariwn am y gore
ein haur yn adrannau'r dre,
adeiladu dyledion
di-hid yn nhafarndai hon.

Ac, un dydd, dan glogyn du,
un dydd i'n hanrhydeddu,
bwriwn, bawb, yr hen bybl
efo'n gorymdeithio *dull*,
a rhannwn â'n rhieni
ei theilwng gynhebrwng hi,

ein bybl ni, heb wybod
heno, er byrstio, ei bod
i'r radd hon yn ein rhyddhau
ar un amod, rwy'n amau:
amod ein bod heb oedi'n
ymroi i'r swm a roes hi.

Cawsom o'i banc swm bob un,
wodiau hirfaith diderfyn
o eiriau crisp, pentwr crwn
nefolaidd bob o filiwn,
iaith i'w dweud wrth heidio i dŷ,
iaith i'w gwario wrth garu.

Cawsom lond llaw, bawb, o hyd
o iaith fân, iaith y funud,
pob rôg fu'n gwario geiriau'n
y Cŵps ar ôl amser cau,
pob hogan fu'n eu canu
yn wyllt iawn yn y Llew Du.

Os mwy'r swm a roes yma
am siarad iaith amser da,
ledled y wlad ei leihau
a wnawn wrth yngan enwau
ein gwlad faith yn ein hiaith ni,
a'u hyngan rhag eu trengi.

Tra bybl, tra bo Aber,
tra tref fôr, tra tair awr fer,
dewch, talwn o'n helw ni
ein dyddiol ddyled iddi.
Daliwn ni i dalu'n ôl
ar dafodau'r dyfodol.

AA

Aber-ddiblastig Anhysbys

Bobl Aber, lawer drwy'r wlad,
heddiw, o gael gwahoddiad
i'r trafod, carwn godi
a dweud fy nghyffesiad i ...

dwi'n gaeth i gartons llaeth llwyd,
ac arianfags y grawnfwyd.
Caeth hyd ddibyniaeth beunydd
i bacs o wyth, i'r bocs sudd.

Ie, *junkie* ... Ond chi'r piod,
clywch y bardd! Cyn coelio'ch bod,
werin gref ein tref, ers tro
uwchlaw hynny, clywch heno

yma air o ymyrraeth:
ry'n ni i gyd i'r rheini'n gaeth,
i'r bagiau, pecynnau cig,
yn bobl *wasted* ar blastig.

Gleifion, na ddigalonnwch!
Nid yw ein tre dan y trwch.
Aber, mae amser, mi wn,
i wneud yn well – newidiwn.

(Eisoes aeth, yn ôl y sôn,
wobr aur i Aberaeron,
a gwae ninnau, gan hynny,
na wnawn yn well yn fan hyn!)

Byddwch, yng nghlyw'r rhybuddion,
fel lli hardd y dref well hon,
plygwn, dolennwn drwy'r wlad,
ac fe wyrwn gyfeiriad.

O bell, â'r afon i'r bae;
hyd y daith, nid yw hithau'n
afon union – mae'n heini,
ie, troi yw ei natur hi.

Rhaid para fel yr afon,
yna'n dref, byddwn ryw dro'n
rhydd o iau'r pecynnau caeth,
rhydd o boen gorddibyniaeth,

a byddwn, rhag ein boddi
dan wast ein bywydau ni,
yn dal llaw, yn arbed llwyth,
heb blastig, yn bobl Ystwyth.

Styc i'r styds

ar Gae Siop, cartref clwb pêl-droed Trawscoed

Cyn dod o afon Ystwyth mas
I'r môr i'r de o Aber fras,
Mae'n llifo heibio erw las
    I lawr o'r ffridd,
Lle mae 'na batshyn bach o ga'
    Sy'n brin o bridd.

Mae'r tyrff fu gynt o flaen y gôl,
A'r lein lle gwaeddai Pete *hand-ball*,
A'r clai sy'n dda i ddim yntôl
    Ond tyfu sbyds,
Ie'r rhain i gyd a gwair y ddôl,
    Yn styc i'r styds.

Rhwng nawr a thymor nesa' bydd
Rhyw gyfle gwell yn dod bob dydd
I sgrwbio'r clytiau clai yn rhydd
    O'r bŵts yn lân,
A'u codi i'r goleuni'n rhydd
    O drwch y dra'n,

Ond gwell gen i gaethiwo'r pâr
O sgidiau'n saff ym mŵt y car,
Nes clywed eto yn yr a'r
    Un chwiban laes,
A dychwel ambell ddarn bach sbâr
    O'r mwd i'r maes.

Potsian

ar gais rhaglen radio Geraint Lloyd

Mae diléit mewn medlo o hyd,
Rhyw wefr i'r arfer hyfryd
O stwna'n annhestunol,
Potsian yn lân â rhyw lol.
Dyn sy, am hynny, yn mêd,
Dyn â'i ben dan y boned.

Piltran ag injan yw'r gêm,
Neu egsôst, bygs y system,
Trwsio hen ffanbelt rasiwr,
Troi sgriws heb ecsgiws mae'r gŵr,
Troi fel y bu'n troi, un tro,
Y cannoedd sgriws Meccano.

Nawr, er na wn fawr o faint
Am hen geir, mi wn, Geraint,
Am botsian mewn cynghanedd,
Cyfri llawer sill o'm sedd
A thrwsio, cynllunio llên,
Creu wrth dincro â'r awen.

Dan y boned neu bennill,
Ar hyd egsôst neu'r deg sill,
Aros byth am amser sbâr
A gawn, a throi yn gynnar
At deiars neu at awen
I gael stwna gyda gwên.

Iws Niws

i'r cyflwynydd Iwan Griffiths, pan dyfodd locsyn amheus

Mae mab Del ar y teli.
Wy'n watshio'i dei mewn HD,
A'i hoff wên wych, a phan wnaf,
Wy'n ffyddiog na ddiffoddaf;
Y remôt ni ŵyr miwtio
Iws Niws yn ei elfen o.

Rhocyn y wên â'r can wot,
Wyt arch-wenwr trichanwot,
A gwae lawer gael Iwan
I dorri gair ond ar gân –
Dy holl fwynhad yw llyfnhau
Fel tenor fwletinau.

A byw'r Brifwyl pan hwyli
O stiwdio'r maes adre i mi;
Am hynny, glei, fe gei'r gân
A chan diolch ... ond, Iwan,
I'r farf fain rhof, ar f'enaid,
Unsill i gloi'r pennill – paid!

Mewn hiraeth am Aneirin

Awst 2018

Dwy flynedd ryfedd fu'r rhain,
Straeon nyts drwy'r we'n atsain,
Rhai'n gwyrdroi'r un gair droeon
Neu'n nyddu sbîl newydd sbon
Ac yn hau celwyddau lu,
Rhoi twyll ar dwyll i'n dallu;
Hawdd hefyd, os goddefir,
Wisgo gau â masg y gwir.

Dyna pam imi amau
Holl ystyr hyll stori au
Am ryw fardd ar Gymru Fyw
Â'i fryd (un difyr ydyw)
Ar grwydr ac ar adel
Ei wlad ddwys am Lydaw ddel,
A chwalu'r tân a chloi'r tŷ,
A honnai ar ôl hynny
I gyd fod ganddo Gadair!
Wel yn wir, 'choeliwn i air
O abwyd hwn – clecbeit oedd,
Cynnwys sad ffêc niws ydoedd!
Newid byd ac ymfudo?
No wei! 'Se Nei ddim yn ...

O.

Roedd yn wir. Mor wir â'r wawr.

O bob un rhacsyn drycsawr
Mewn munud a alltudiwn,
O Dduw mawr, gwae fi, ddim hwn!

F'Aneirin, fy chwerthin chwil,
Fy ngho' enfawr, f'anghenfil,
Ie glei, fy Nei teneuach
Yn y byd o dipyn bach,
Der nôl i Ffostrasol draw,
Wennol hud – nad â i Lydaw!

Fy maen hir, fy mhen euraid,
Fy nghyd-*thespian* Nationwide,
Rapiwr, ai'r wep arw hon
O'th wlad oer, arth lwyd dirion,
A'th yrrodd dan fytheirio?
Ai o fraw'r rhedaist o'th fro
Yn Sir Gâr dan sêr i gwr
O Lydaw, gyd-bodledwr?

Hael ieithgi athrylithgar,
Fy nghyd-arloeswr, fy nghâr,
Nid peth crwn yw'r byd hwn, twel,
Hebot ti, ond byd tawel;
Nid Aneurig o ddigawn,
Ond anEurig unig iawn.

Minnau ym mrath y meinwynt,
Tithau'r sant a'th ddrws i wynt
Y môr; a'r storm yn trymhau,
Fi sy'n was i fusnesau
Haid o Dorïaid mewn strop
Anwaraidd, tithau'n Ewrop;
Mwynhau wyt, minnau eto
Yn canu fyth *kenavo*.

Pan gyrhaeddi di dy wâl
Ar drwyn arfordir anial,
Yn hael i fi a 'nheulu
Doda di win yn dy dŷ,
Ac yn ail, sbo, gwna le sbâr
Yn dy lun dan dy landar;
Nionod a gwirod a gwin
A gawn, wir, ag Aneirin
A Laura, Sisial, Erwan
Lawr, i lawr yng Ngherlouán.

Mae eich angen eleni
Mewn bro'r naill ochor i'r lli.
Am hynny ewch a mwynhau'n
Ein hieithoedd, ac fel hithau
Ein hanthem, ewch ar fenthyg
A ffowch rhag y straeon ffug,
Cadwch ŵyl hael, codwch law,
Cariwch wlad, cerwch Lydaw
Yn wych iawn, ac i'w chanol
Ewch yn wir ... ond dewch yn ôl.

I Gruffudd Owen

prifardd Cadair Eisteddfod Genedlaethol Caerdydd 2018

Ar faes ryw dri o fisoedd
Yn ôl mewn heulwen, pan oedd
Y dail i gyd o liw gwyrdd,
A fy iaith hithau'n fythwyrdd
Ar lan Taf, drwy'r haf hefyd
O'r gaer i'r Bae roedd y byd
Yn ŵyl wych a'i dwylo ar led,
Gŵyl ddi-gur, gwledd agored,
Prifwyl am byth yn profi
Drwy'n cyd-fyw unigryw ni
Ei bod yn ddinesig bêr,
Ac yna brynhawn Gwener,
Dy awdl di, o'i saernïo,
Dy gerdd di a gurodd, do,
Enillodd, cipiodd y cae,
Rhagorodd ei rhegeiriau,
Ŵr hoff, a hawliodd, Gruffudd,
Holl glod Eisteddfod Caerdydd.

Euthum i'w darllen neithiwr.
Llwyr fwynhau geiriau'r tri gŵr
– Tair barn deg, tri beirniad da –
Tu fewn wnes gyntaf, yna
Oedais. Fe greffais, Gruffudd,
Ar dy awdl ... a rhyw Gaerdydd
Wahanol a hollol hyll
A du dan awyr dywyll
A welwn, rhyw anialwch
O lid yn swatio dan lwch
Ei olosg pell, *hellscape* oedd,
Radyr Blade Runner ydoedd.

Gruffudd, rhagorai uffern
Ar hyn o sin! Heb rin sêr
Na lloer, heb ymgynnull iaith,
Heb un haf, heb win afiaith,
Dinas anghymdeithasol
Nad yw'n tecstio heno'n ôl,
Heb y wawr ddinesig bêr,
Heb ŵyl undydd, heb lawnder.

Nid yw Datguddiad Ioan
Cynddrwg ei olwg â'r gân!

Dy lên, o'i darllen, o Dad –
Mae dyn yn poeni amdanad!

A daeni, Gruff, d'adenydd?
Cefna ar ddistopia Caerdydd!
Os yw'n ddinas ddiflas dda
I ddim – mae'n hafaidd yma!
Ar bob stryd, bywyd sy'n bêr
(Mwy na heb) yma'n Aber
O hyd, lle doist i 'studio,
Ym Mhanty cartrefu un tro.

Dere'n ôl i'n Hadran ni!
Cei dŷ'n hawdd, cei dy noddi,
Rho feiros rhyw fyfyrwyr
Ar dân! Ac os lloriau du'r
Ddinas swrth chwalodd yn sêr
Dy fobail, adfywia Aber
Dy gyswllt ag eosiaid –
Mae adar mân yma'n haid,

A llon gyfeillion a gwin
Yn nhrigiannau Brogynin.

O ddifri, cei gwmnïaeth
A chartre iach ar y traeth
Yn Aber, fel llawer lle,
Adran i'w galw'n adre,
Am dy fod ti'n cau llinyn
Deupen y wlad: pen o Lŷn
Yn un llaw ac, yn y llall,
Y ddinas eirias arall.
Yma mae'r deupen 'leni
Yn rhwymyn tyn ynot ti.

Yn y tai oll, os wyt ti
Yn eilun ym Mhwllheli,
Os y ddinas ddihenydd
Sy'n dy enwi di bob dydd,
Heno, dy hawlio cyhyd,
Brifardd, mae Aber hefyd.

Tair dihareb

Y gŵr a gâr seguryd
A ganfu ap, gwyn ei fyd.

Boddha rym, a bydd ar waith;
Amau grym a'i gyr ymaith.

Y tric i'r heniaith bob tro
Yw cael ifanc i'w lyfio.

Coron Ceri

Eisteddfod Genedlaethol Meirion a'r Cyffiniau 2009

Roedd Duw yn cerdded i'w waith (un gwyrdd yw Duw,
'sdim dwywaith), cerdded yn ddigon dedwydd i'w
swyddfa'n dala, un dydd reit segur, bapur *Y Byd* (yn y
nef mae hwn hefyd), pan oedodd. Roedd penawdau
mawr ar y ffrynt am ryw ffrae, rhyw sgandal yn y Bala
nad oedd yn newyddion da i'r Alffa a'r Omega mawr.

Llawio'i farf yn llafurfawr a wnâi Ef, ie, gan ofyn yn hurt,
'Beth yffarn yw hyn?!'

Pennawd oedd yn poeni Duw (daliwn nad oedd y Dilyw
wedi ei ysgogi gan un gwaeth), y pennawd gwaetha'n ei
hanes:

GWRTH-FARDDONIAETH:
CAED YM MEIRION GORON GAETH!

Ofnai, wir, ac ysgafnhau wrth wglo'r holl erthyglau.
Darllen sut y rhoes henwr goron gaeth ar gorun gŵr,
darllen ac ailddarllen ddull y genedl o ymgynnull i'w
wobrwyo heb reol i'w wneud iddo'i rhoi hi'n ôl (y goron
gron) nac i roi'r cynfas yn ôl i'r confoi a'i tywysodd i
oddef ei drosedd ddiddiwedd ef! Stori'r gwir a'i daliai'n
gaeth, onid âi'n anghrediniaeth. Cans ni alle Duw gredu
yng Ngheri Wyn, yng ngair hy y gerdd gaeth a gurodd
gân y gweddill wrth gywydda'n eofn iawn.

I'w swyddfa'n awr âi'r Iôr (cans canai'r oriawr), ond roedd ei swyddfa'n llanast – haid o geriwbiaid ar ras dan ei draed, a dau neu dri o saint galarus anti-Ceri Wyn yno'n crynu. Daeth un ohonyn o hyd i'w dafod a dod wedyn i siarad â'i Dad ei hun.

'Mae'n warth! Ond prysur ŷm ni yn cywiro cam Ceri. Meicel yr angel a roes Vaughan Hughes i'w ofni eisoes, ac mae *Golwg* am gelu mewn ffau o gelwyddau lu (fel arfer) farn sawl seren o fardd am y bardd sy'n ben. Mae'r Steddfod am ddifodi ei diffygiol *loophole* hi, ac mae wal o gymylau damp ar ei hyd yn parhau.'

'Da iawn,' ebe Duw, yna aeth o blith ei bobol a rhyw gilio i'r dirgelion am ryw hoe.

A dyma'r Iôn wrth yfed disgled o de'n ailagor y plygiade, ac yn syber ddyfnderoedd y colofne'n rhywle roedd isbennawd yn esbonio'n y diwedd un nad oedd o (y Ceri styc fu'n creu stŵr) yn credu'n y creawdwr wedi'r cyfan ddim chwaneg.

'*What's new?*' ebe Duw yn deg.

Cywydd cas y Gwas

yng ngwledd briodas Hywel ac Alaw Griffiths, Awst 2011

Fe wn, tra pery f'einioes:
Mae *back row* ym mhob côr, oes,
A *row* reit glòs i 'ffarwél'
Yw'r *row* a roir i Hywel
Mewn corau cystadleuol.
Back row. Mas y bac. Ar ôl.

Boi *tone-deaf* yw Heff, mae'n ffaith.
Tone-deaf i bob tiwn, diffaith.
Un felly wyt, ar fy llw,
Tôn-fyddar wyt ti'n feddw
Ac yn sobor, mewn corau
A ddoe'n y dafarn tan ddau.

O, dileaist alawon,
A rhoi taw ar lawer tôn!
Mewn côr, wrth f'ochor, hen fêt,
Llofruddiwr llafar oeddet;
Roeddet o'r sêt fawr heddiw'n
Hala'r rhai da mas o diwn.

Nid yw nodau yn oedi
Yn nhwll plwg dy wddwg di –
Pydew di-lamp yw dy lais,
Odlau sy ynddo'n adlais
Rhwng sgerbydau caneuon,
Pob desgant, pob tant, pob tôn ...

Heblaw un Alaw, na all
Yn burion, na, neb arall
Ei chanu am un funud,
Na all neb arall drwy'r byd
Ei hawlio hi – Alaw hardd,
Amryfal i fy mhrifardd.

Ie, mae'n rhyfedd, ond heddiw'n
Ei sain hi, rwyt ti mewn tiwn.

I Hywel

prifardd Cadair Eisteddfod Genedlaethol Maldwyn 2015

Mae'r hewl drwy Gymru o hyd
Yn giw i'w oddiweddyd,
Ac i Geiriog y gyrraf,
Fesul gêr o Aber af
Mewn cadwyn drwy Faldwyn faith,
Drwy erwinder yr undaith
Drosodd a thro, drwy resi
O feysydd na dderfydd i
Ben taith yn un rhuban tyn,
Araf, hir draw i Ferwyn.

O hyn mas, pan â meysydd
Maldwyn heibio eto, bydd
Un maes yn hafan i mi,
A nod un diwrnod arni,
Enw Meifod yn nodi
Ias y dydd pan godaist ti.

Sicrhau mae caeau'r co'
Nad â'r ŵyl wedi'r elo.
I mi fe bery Meifod
Pan na bydd un tipi'n bod,
Pan na bydd, un dydd, un dôn
I'w chlywed uwch alawon
Hyn o dir, dim ond deri
Yn sibrwd dy enw di.
Ym Mechain mae, 'achan, mwy,
Ddyfarniad rhwydd Efyrnwy,
A phan glywaf yr afon,
Awen Heff a enwa hon.

Wrth dreiglo heibio aber
Efyrnwy a Banwy bêr,
Daw i'r co' ymdeithio'r dydd,
Daw i'r co' loywder cywydd
Ac englyn, a daw lluniau
Eto o gydweithio dau
Yn cymell llinell y llall
Ar fws hir i faes arall.

Un ciw i'w oddiweddyd
Yw'r hewl drwy Gymru o hyd,
Ac arni hi est, Hywel,
Heibio'r tro, ac yno gwêl
Dir Meifod eto'n codi,
Daear deg dy gadair di.

Pleidlais

Cerdyn placard yn plicio'n
Y lawnt ar hen bolyn tro
Fu'n datgan ers ei blannu'n
Isel a thriw liw fy mhlu.

Yn y crud plicio'r ydoedd,
Yn y crud un placard oedd,
A'r un cerdyn ers cyn co',
Cyn fy oes, fu'n canfasio.

O, na chawn ddal dros falot
A wingai fyth fy swing fôt,
Yn ddi-ddal, yn wamalwr,
Yn ŵr siawns nad yw'n rhy siŵr.

YES

Drws gwyn yn St Andrew Square
Heb glo, a bagiau lawer
Lan y staer, fel hen storws
I wlad rydd, a thrwy gil drws
O'r hen niwl oer yn y lôn
Yr es, drwy eiriau breision
WE CAN ar saith can baner,
Drws gwyn yn St Andrew Square.

Dros geir yn St Andrew Square,
Yn gwibio heibio'n syber
Wrth wneud eu dewis distaw,
Roedd mewn ffenest YES di-daw,
Un YES glas yn hanes gwlad,
Un YES gwyn fel llysgennad
Yn dweud drwy'r byd ei hyder
Dros geir yn St Andrew Square.

Es gam o St Andrew Square,
A *flyers* penstiff lawer
Mewn llaw, fy mhennill 'ie'
I'w rannu drwy yr hen dre,
A gwybod, nes dod o'r stôr
Yn wag, mai drws sy'n agor
Ar hen obaith draw'n Aber
Yw drws gwyn St Andrew Square.

Hen adeilad

medd Cadw.
A finnau'n eu hamau nhw.

Mae rhai'n *gweld* Cymru'n y gwyll.
Nid yw hi'n stafell dywyll.

Gweld o wir y golau dydd,
a'i ailenwi'n daflunydd.

Gweld can ffenest mewn cestyll
wnaf i, ffenestri yn null

Pixar, Colombia a New Line.
Sinemâu'n sôn am Owain.

Harlech

Do, bu'n nes y dibyn hwn
a'r tyrau un tro, taerwn,
at y lan, a'u telynau
hwythau'r beirdd at ruthr y bae.

A nes fu Owain ei hun
a'i obaith ar y dibyn
at ryddid, at wireddu'i
freuddwyd fawr, ddiwyd a fu.

Haws llusgo'r castell bellach
at donnau'r bae'n ara' bach
na choelio bod ei obaith
wedi'n gwneud yn gân un waith.

Brexit

Awst 2016

Mewn oes ôl-ffeithiol, mae'n ffair,
Moyn callio namyn cellwair.
Mor rhwydd o chwim yw'r addo,
Mor hawdd y'i diddymir o.
Y mae'r gwir mor wag ei werth,
Mae'r addewid mor ddiwerth.

Y wlad swrth i'r tabloids aeth
A'u glafoer yn ysglyfaeth,
Saig goch iawn i wasg o'i cho',
A gwasg fu'n mwynhau gwisgo
Llid a baw yn nillad barn –
Enough's enough, myn yffarn.

Mor naïf fu'n Cymru ni:
Un llif naïf yn Nheifi;
Coeliodd afon Cledd hefyd
Y llwon gweigion i gyd;
Roedd yn Nedd atgasedd gwên,
Roedd naïfrwydd yn Hafren.

Roedd Penfro'n coelio celwydd
Llwon gwleidyddion y dydd;
Yng Nghynon, llwon yn lli,
Do, sarhawyd Sirhywi,
Poeri i wyneb Glyn Ebwy ...
A chael eu teyrngarwch hwy.

Y Fflint hen, ffŵl iawn oet ti,
A Brit taeog bro Tywi,
Biswail hen dail lond Aled ...
Y gŵr hy ei hun a gred
Un celwydd newydd un waith,
Celwydd a lynca eilwaith.

Mor frau lwyfannau'r Fenni,
Pwy sy'n wir o'n cwmpas ni?
Pa les heno goelio gwarth
Diaddewid gwlad ddiarth?
Mewnfudwyr min haf ydym,
Haid o ffoaduriaid ŷm.

Serenestial: cerddi i'r haul a'r planedau

Eisteddfod Genedlaethol Sir Fynwy 2016

Edrycha draw i'r gofod fry
Uwchben rhwng pob un seren sy,
Does yno ddim ond gwactod du
  O dan ei ŵn
Yn difa golau ar bob tu,
  Yn llyncu sŵn.

Edrych eilwaith – fe weli di
Nad yw yn hesb ein gofod ni,
Fe dyf dychymyg ynddo'n lli
  Fel dawns ar dân,
Ac yn y gwagle'n ôl y si
  Egina'r gân ...

I
Yr Haul

Dychmyga: pe bai'r haul yn belen dân
O faint pêl-droed, ni fyddai'r ddaear hon
Fawr mwy na gronyn bach o dywod mân,
Ewin dy fys wrth olwyn tractor gron,
Neu stondin Barddas wrth anferthedd bras
Y pafiliwn, a'r mân eisteddfodwyr
Ar hyd y maes fel comets coeth ar ras
O'i amgylch ... ac eto, mor ddiystyr
Yw'n holl ymdrechion ninnau i gyfleu
Ei wychder – oni lwyddodd Dafydd gynt,
Pan welodd yng ngwychder Morfudd ail-greu
Yr haul ar ddaear lawr, a gwres ei hynt
O gartre'i gŵr i'w ymyl gyda'r hwyr
Yn gloywi'i fyd, ac yn ei losgi'n llwyr.

II
Mercher

Rwy'n amau nad yw'n gyd-ddigwyddiad llwyr,
Y ffaith mai hithau'r blaned leiaf un
O'n teulu ni, yn ôl y rhai a ŵyr,
Yw'r un agosaf at y seren sy'n
Ein cadw gyda'n gilydd, fel pe bai
Rhyw gynneddf hŷn ar waith pan fwriwyd ni
I'r gofod, ac a dynnodd y rhai llai
Yn agos at ei mynwes gynnes hi ...
Ynteu ai diawledigrwydd ar ei rhan
A barodd i'r un blaned ddal ei thir?
Un belen greithiog, farwaidd, fud o dan
Anferthedd gwyllt yr haul yn syllu'n hir
Yng nghwrs ei rhod ystyfnig hi ym myw
Y llygaid tanbaid hyn, yn herio Duw.

III
Gwener

Gwylia dy hun rhag y blaned wen
Sy'n pefrio'n loywach na'r sêr uwchben.

Cofia nad yw ei hwyneb hi'n
Y golwg gan mor arw'r hin.

I lawr islaw'r cymylau does
Na môr na chefnfor glas lle troes

Yr anwedd gynt yn graig a chraith
Yn nannedd gwynt y cosmos maith.

Gwylia dy hun rhag y blaned wen
A'i hinsawdd chwilfriw drosti'n llen.

IV

Y Ddaear

Pan dynnwyd y llun cyntaf un o'r byd
Yn chwe deg wyth dros orwel llwyd y lloer,
Fe welwyd yn yr hunlun hwnnw hyd
A lled ein hardderchogrwydd, gan mor oer
A diffaith oedd dyfnderau'r gwacter mawr
O'n cwmpas, ac mor llachar oedd ein lle
Yn safn y gofod du, mor wych y wawr
Annisgwyl yn nhywyllwch maith y ne.
Tynnwyd y llun yn Rhagfyr, tua naw
O fisoedd ar ôl difa dros bum cant
O bobl Fiet-nam mewn llaid a baw,
Yn ddynion ac yn ferched ac yn blant.
Roedd gan y ddaear yn ei hesgor hi
Y ddawn i'n hudo, ar ein gwaethaf ni.

V

Mawrth

Mae e 'na, botwm *standby*'r bydysawd,
Y cylch bach coch yng ngwaelod sgrin fawr ddu
Y nos, y botwm sy'n dweud fod cysawd
Tywyll yr haul yn dal i droi, a'r su
Yn y cefndir – y pelydredd hwnnw
A fu'n murmur yng nghlustiau'r sêr erioed –
Yn cyson ganu grwndi'n ddisylw,
Ar ôl troi'r ffrwd newyddion a'r pêl-droed
I ffwrdd. Gwrandewch. A glywch chi heno sŵn
Y pŵer tawel hwnnw yn y clyw
Yn codi'n uwch fel nad oes dim ond grŵn
Y cosmos maith i'w glywed? Nes daw Duw
I guddio'r miloedd briwsion llwch sy'n haen
Ar hyd y sgrin, a'i throi hi'n ôl ymlaen.

VI
Iau

Yng nghoffi du'r gofod rhois fymryn o laeth
A'i adael i ledu'n araf, araf nes aeth

Yn gymysg y düwch a'r hufen i gyd,
A rhes o rubanau mawr brith ar ei hyd,

A throelli wnes innau'n drythyllus fy llwy
Yn llygad yr ewyn nes cododd yn fwy,

Ac i ganol y sidan rhois un siwgwr lwmp
I raddol feddalu yng ngwaddod ei swmp.

Coffi du'r gofod yn troi'n *gappuccino*,
Cystal â dweud na fydd cysgu heno.

VII
Sadwrn

Fe gododd yr Haul a gwaeddodd yn ddig,
'Rhowch imi ryw lymaid i wlychu fy mhig!'

Daeth Mercher ato, '*Espresso* bach?'
'Dos o 'ma,' ebe'r Haul yn llawn o strach.

Daeth Gwener wedyn â llymaid o laeth,
Ond gwaeddodd yr Haul, 'Mae hynny'n waeth!'

Pan fentrodd y Ddaear â gwydraid o ddŵr,
Fe stranciodd yr Haul a chodi rhyw stŵr.

Aeth Mawrth a'i win coch, ac Iau a'i *gappuccino*,
Ar eu pennau'r drwy'r ffenest, 'A wnewch chi gallio!'

Wranws a Neifion a'u coctels glas
A daflwyd wedyn drwy'r drws yn gas.

Ond yna daeth Sadwrn, 'Paned o de?'
Gofynnodd yn betrus, a'r Haul ddwedodd, 'Ie ...

Byddai paned yn dda – dim ond os ca'i e
Mewn cwpan a soser ...' Dwedodd Sadwrn, 'Ok.'

VIII
Wranws

Ar lan y môr mae carreg las a fu
Ryw gan mileniwm yn ôl, dyweder,
Yng nghesail craig fawr gwrs yn un o lu
O gerrig tebyg, oni ddaeth amser
I'w didol unwaith o dan ewin ton
A'i throi yn nwylo'r heli'n garreg lefn,
Ei gwastatáu a'i llathru'n belen gron
I'w throelli'n ôl a 'mlaen a nôl drachefn.
Rhyw gan mileniwm, neu ryw gan mil mwy?
Ni waeth ar ryw nos Fawrth i'n deall ni
A fu'r erydu taer ar waith yn hwy –
Fe bery'r llanw mawr i'w threulio hi
Am gan mileniwm arall ar ôl troi
A llathru'r geiriau hyn mewn cerdd fach gloi.

IX
Neifion

Tynnodd y tancer trwm ei howld yn rhydd
O goflaid yr harbwr, ac ymlwybrodd
Yn raddol tua'r gorwel, ac ar rudd
Y cefnfor hirfaith, yn llwyr fe roddodd
Ei fryd ar gyrchu'r pellter, nes nad oedd
O'i flaen ond chwip yr ewyn, nac o'i ôl
Ond cynffon wen yr heli a sŵn bloedd
Yr injan, hyd nes aeth ei awr yng nghôl
Yr harbwr gynt yn angof – ar wahân
I ambell noson unig pan ddôi'r sêr
I gynnau'r nen yn fflyd o wreichion mân;
Ni allai lai na theimlo yn ei fêr
Y dynfa gudd a drôi o bedwar ban
Ei olwg ar ei waethaf tua'r lan.

Llawenog

wrth ymadael am y tro olaf â chartref y teulu yn Sir Gâr

Mae'r allwedd i Lawenog
Yn nrws y tŷ'n Llangynog,
O'i throi fe drowch chi, Mam a Dad,
Y goriad i Dregeiriog.

Drwy ddrws ein un fagwrfa,
Ni'n pump fu'r teulu cynta',
I'r ail boed hael yr aelwyd hon
'Run noson Hydre' nesa'.

Y wich ar dop y grisiau,
A'r gegin a'i chypyrddau
A roed mewn lle gan dalach dyn
Na'r un o'n teulu ninnau.

Yr *yucca* mawr a'r rhosod,
Y gwyntoedd mawr a'r difrod,
Y machlud mawr ac eira trwm
Yr hirlwm ar gae'r merlod.

Bu'n llawn bob stafell lonydd
O hwyl a dyddiau dedwydd,
A llawn bob hyn a hyn o strach,
Ond llawnach o'n llawenydd.

Er cof am fy nhaid

Ieuan Hughes Morris, gaeaf 2014

Wynt chwith, o'r fynwent chwytha – heibio'r Llan,
Heb roi llaw, y gaea'
Oer, oer hwn, ar yr hyna'
Un o feibion hinon ha'.

Mai ei hun, mor chwim hoenus – â'r ha' oedd,
Ffermwr rhwydd a medrus,
Enaid llawn ac ynad llys,
Hawdd erioed o ddireidus.

Ym mhraw'r hen dymor eira – a dethol
Fendithion y c'naea',
Yn nhrueni yr wyna,
Gwelai dwf y Bugail Da.

Yr Hughes Morris ym Merwyn – a thu hwnt,
Ac wrth waith y cymun,
Dad a Taid eto wedyn,
Ond Ieu i'w gyfoed ei hun.

Am ei Reenie fe griai – yn dyner,
Amdani breuddwydiai,
Yn ei alar anwylai
Ei llun hi, a llawenhâi.

Ynom, ac nid yng ngenau – un bedd oer
Y bydd, haeraf innau,
Nid yn y gist o dan gae,
Nid clai unig, ond c'lonnau.

Er cof am fy nain

Margaret Glenys Salisbury, gwanwyn 2016

Er mynd ar goridor maith – ohoni'r
    Diwrnod hwnnw unwaith,
  Hyn a welaf, Nain eilwaith,
  Nid ar y ward, ond ar waith.

Nain o hyd â chan nodyn – o obaith
    Yn Rehoboth wedyn,
  Ei gwres a'i gair, groeso gwyn,
  'Sut wyt-ti?' ym Mhrestatyn.

Yn Llanelidan wledig – yn y Rhewl,
    Yna'r Hayes Lundeinig,
  Yn barhaus ei doniau i'r brig
  A godai'n fendigedig.

Hen oedd, ond ni heneiddiodd – oedrannus
    Ond, er hyn, fe'n nerthodd,
  Ei chwerthin nid edwinodd
  A'i thyner oes aeth yn rhodd.

Do, trosglwyddodd yn rhoddion – ei hoes faith,
    Rhoes fwy nag atgofion,
  Rhoes goel ar wres y galon;
  Rhown i'r cof yr anrheg hon.

Y gleniaf hyd eithafoedd – mwy na hyn,
    Mam a Nain inni ydoedd;
  Heddiw a thrwy'r blynyddoedd,
  Yr un leiaf fwyaf oedd.

I Alwen a Garmon

ar ddydd eu priodas, Ebrill 2017

Tri amod pob priodas:
Serch, mynedd a chymdeithas;
Y cynta'n hir, yr ail yn hwy,
A'r ola'n rhwym o'ch cwmpas.

Beth am y cyntaf wedyn?
Wel, gynt ym Mhantycelyn,
Aeth crwt o'r de i ofyn serch
Y ferch o lan Hiraethlyn.

Amynedd, yr ail amod,
Sy'n bwysig iawn – dwi'n gwybod!
I'r hyn a ddaw, rhoes heddiw bres
Yn ernes ar bob diwrnod.

A'r trydydd, y gymdeithas –
Mae honno'n hen gymwynas
A fydd wrth law, 'waeth beth fo'r hin,
I'ch dala chi'n Uwch Dulas.

Ond mae pedwerydd amod,
Sef cariad yn annatod,
Ac ym Mryn Llawen 'leni gwn
Fod hwnnw'n gadarn hynod.

Yn nhymor yr aileni,
Golud a iechyd ichi;
Y mae pob un yfory sydd
Yn rhydd i ddechrau heddi.

I Leila a Rhys

ar ddydd eu priodas, Hydref 2017

Mae'n dywydd mawr yng Ngwynedd!
Mae'r gyrroedd mawr yn gorwedd,
Ond mwya'r cariad i ddau sydd
I'w gilydd yn ymgeledd.

Dwy galon yn Eifionydd,
Dwy wên rhwng môr a mynydd,
Dwy res o'u haddewidion nhw,
Un llw, ac un llawenydd.

Os chwala'r gwyntoedd Chwilog,
Os cwyna'r glaw'n ddrycinog,
Fe bery byth yr ennyd hon
Yn fodlon a sefydlog.

Sir Gâr sy yng Nghwrt Carrog,
A Gwynedd a Llangynog,
Sir Fflint a Lerpwl, Llŷn a'r wlad,
A chariad mwy na Cheiriog.

Mae wrthych Gapel Ucha'
A'i lawen haleliwia,
A'r gair gwyn, ymestyn mae
Law hael i Rys a Leila.

Ar frig y don, ewch rhagoch,
Boed heddiw'n ddiddos drosoch,
Ac ym mhob storm tywynned gwên
Yr heulwen fyth lle'r eloch.

Capel Bancyfelin

ar ben blwydd arbennig yr achos, Mai 2010

Os rhoddo rhai i dai Duw – eu horiau
  I ohirio'r distryw,
 I'r hen Gapel mae'r rhelyw
 Am ddod am ei fod yn fyw.

Nid yw oedran dihidrwydd – yn newid
  Yn nhŷ sefydlogrwydd,
 Ond â oedran diwydrwydd
 Yn ei flaen o flwydd i flwydd.

Pan fo pen blwydd yn llwyddiant – a pharhad
  Yn ffrind i ogoniant,
 Mae coffâu cyrraedd deucant
 Yn wir cŵl – a hanner cant!

Deil Capel Bancyfelin – gydag oed
  Y gwir a ddeil Calfin,
 Na bu erioed ddim mor brin
 Â pharhad anghyffredin.

‘Prydaf i helpu’r adail’: pedair cerdd i adeiladau

gan benseiri a gyrhaeddodd restr fer y Fedal Aur
am Bensaernïaeth, Eisteddfod Genedlaethol Sir Gâr 2014

I

Capel Galilea, Llanilltud Fawr

Fel arfer, ein harfer ni
Yw cau peil o’n capeli,
Troi’r rhai cain yn gwt i’r ci.

Mae’r gynneddf ym Morgannwg
I dorri cnydau iorwg,
Dod â’r gwaelod i’r golwg.

Adfail Duw, fe’i haildowyd,
Plisgyn capel a wisgwyd
Â charthen o lechen lwyd.

Dwy wal oer a deilwra
O’u hadwy ddwy ffenest dda;
Goleuwyd Galilea.

Capel y croesau helaeth,
Dan ei do anwylo wnaeth
Y creiriau, fel carwriaeth.

Anwylo’r Lladin eilwaith,
Fel na ddirywia’n rhyw iaith
Annealladwy, yn llediaith.

Daw’r dref i’r capel hefyd,
A thrwy ei borth yr â’r byd
I gell dawedog Illtud.

Iti’r sant, o’r to i’r sail,
Lluniwyd o wyll hen y dail
Fynedfa o hen adfail.

II

Ffwrnes, Llanelli

Hei! A glywi di
Fel dyfroedd Dafen
Y sŵn a'i eco
Sy yn ein hacen?
Sŵn taro duloyw,
A sŵn troi dalen,
Sŵn Lliedi lew
Yn swnllyd lawen?
Dyma sŵn iaith, gwaith a gwên
Ein dyddiau,
Ein ffair yn nesáu,
Ein ffwrnes awen.

III

New Barn, Felindre

Ar ddaear Pant-y-bara
Nid oes na defaid na da.
Ar lawr llyfn y parlwr llaeth,
Seren wiw pensaernïaeth
A saif lle bu'r cryts ifanc
Yn storio bêls draw o'r banc.

Cegin a chlic i'w hagor,
Y dirgel dŷ drwy gil dôr.

Ymolchfa fach gwta, gudd
Tu mewn fel nant y mynydd.

Ac yna'r cychod gwenyn,
Bared wrth bared bob un,
Ryw chwe llath wrth ddwylath ddel,
Foch ym moch, dan fîm uchel,
Lle cwsg dan astell bellach
Deulu iau fel byrnau bach.

IV

Melin Talgarth

Gad felin Tre-fin i fod,
Rho'r tŷ a'r gân i'r tywod,
Rho swnian Crwys, sy'n cau rhoi
Dôr y merlod i'r morloi,
I'r cregyn craciog rhagor,
Rho'r maen mawr mewn yn y môr ...

Mae'n ddi-daw'n y Mynydd Du
Sŵn melin sy *yn* malu,
Melin ŷd, nid un fudan,
Melin chwim, lawen ei chân,
Melin lawn llif i brifeirdd,
Melin Talgarth, buarth beirdd.

Rhedwn draw i dŷ'n y dre
Oll fel lli fyw Ellywe,
Fel sliws, ffurfiwn giw sy'n gwau
O'r pwll dŵr i'r pellterau,
Ac o'r lan, dewch, gorlenwn
Y meinciau rhydd a'r maen crwn.

Liz yw'r gêrs, hwylusa'r gwaith,
Arwyn, pren y peirianwaith,
Dan sgwd yn troi'n ddiffwdan
Mae dur Gez a mydrau Jan,
Brwdfrydedd Rob sy'n pobi,
Fel bara Nicola i ni.

Daw o rym cyflym pob còg
Fara a chân i Frycheiniog,
A daw gwlad i gael wedyn
Hoe drwy'r dydd – dere dy hun!
Dros ei dir i'r drws y dôn',
Drws y dŵr o Ros Dirion.

Ein hafon fach ni

addasiad o'r gerdd 'Amader choto nodi'
gan Rabindranath Tagore

Afon fach droellog, gymalog ym Mai,
I lawr i'r ben-glin fel rhuban o glai,
Croesi'n rhes arni ar siwrnai fach sych
Mae hen gerti'r ych, ac ym mangre'r trai
Mae'r haenau mor wyn â naw môr o rew,
A'r gwenith *kaash* blith fel cotwm a blew,
Mainaod y dŵr mewn haid dew ar hoe
A sŵn yn y lloer i weision y llew,
Coed mango o gylch sy'n cadw man gwyn
I'r goflaid o hen Frahminiaid a'u myn,
A rhwymo'n gymhleth eu brethyn mae fflyd
O blant da o hyd a'u bowlenni tyn,
Cwpanu eu dŵr mewn capan o de
Ac aros wedyn am sgodyn i'w gwe,
Gwragedd yn golchi llestri'r lle o hyd,
Mamau'n teithio'r rhyd cyn mynd tua thre.

Ein hafon ryfedd yn Nhachwedd, yn nhôn
Y ffrydiau a'r chwyrndrobyllau'n y bôn,
Y penllanw'n serth, pob drop yn llawn sôn,
Yr hen gaeau'n stecs a'r tir yn gan stôn,
Clyw gri llawen braf yr afon ddi-daw
A gŵyl fawr y glaw o frig y lôn.

Ffiniau

TERMINAL 5
ARRIVALS
STATUS
DEPARTURES

... mae'r pyls
yn bywiocáu â phob ciw
yng nghraidd yr hangar heddiw,
a'r gagendor agored
uwchlaw'n crebachu i led
un drws ...

REMOVE YOUR SHOES

... siars
o'r rhes ganol, a'r sganars
o'n lle'n cymell ein camau
i mewn yn ddof, gam neu ddau,
ein

MOBILE
WATCH

ym mhob blwch,
i glwyd gul Diogelwch.

Dros riniog du'r seirenau
y cerddaf.

Rhewaf.

Parhau
i gerdded, ailbocedu
ar ffin y ddôr y ffôn ddu
a'r pasbort eto'r tu hwnt
i ofid.

Felly y llifwn
tua'r giatiau i'r gweitied
ola' un, a'r drws ar led
drwy burdan gwydr ...

BOARDING

JAKARTA
BEIJING
COPENHAGEN
OSLO

JEDDAH
SEOUL
CHENNAI
BILBAO

MUMBAI

~

Bît cyson drwy glustffonau yn chwarae,
a chiw hir i'r drysau,
rhes hwyr, ddi-frys o warrau.

Y miwsig sy'n troi'n swigen amdanaf,
y crôm du'n ailddarllen
playlist y mis drwy fy mhen.

Wrthyf fy hun rhithiaf i yn *hipster*
â'i App Store a'i hwdi ...

yn Lloegr wyf, ymhell o gri

ddiallu'r hen Gymru gaeth, daear gwae'n
dragywydd a hiraeth
dywedwst a cheidwadaeth.

Pa reswm mewn byd prysur i hanner
cenedl? Mewn maes awyr
mil o erwau distiau dur,

nid enwir ond brastiroedd di-ofn byd
a fyn barch y bobloedd
yn gytûn, nid un nad oedd.

Rwy'n clywed rhywrai'n dwedyd 'gwell Cymro,
Cymro nad yw'n cymryd
awyren i ben draw'r byd;

gorau bardd, y bardd â'i ben dros ei waith,
nid ar sedd awyren,'
heb ddeall na bydd awen

heb fenter. Ac os clerwr wyf er hyn,
fi yw'r un nas geilw'r
corn gwlad ar ganiad o gwr

y pafiliwn ...

drwy'r twnnel fe dreiglaf
drwy wagle'r ymadel,
tynnu'n ddi-weld at wên ddel

y stiwardes ...

ac rwyf i'n Daliesin
yn rocio heibio i mewn i'r cabin,
nôl o'r gorffennol dros ffin yn dianc,
hogyn ifanc ymhell o'i gynefin

yn lliaws rhith ymhlith mil o ieithoedd,
yn Ddafydd Nanmor uwchben y moroedd,
Dafydd ap (ag ap) ar goedd drwy'r cosmos
yn teithio o nos i nos rhwng dinasoedd,

a hynny dan nawdd – na, nid neuaddau
uchelwyr gweddol chwil ar gywyddau
mewn rhyw hen ŵyl – ond gwyliau llenyddol
dethol, rhyngwladol i rai'n eu blodau,

nid byrddau medd ...

eisteddaf o'r diwedd,
yn y sedd fe suddaf,
cau'r gwregys yn nerfus wnaf.

~

ETA
IN 8 HOURS

PRESS OK
PLAY
VOLUME
PLUS

Sŵn tyrbin mewn cabin cau,
naw deg sgwd o gasgedau
yn ceulo'r clyw, raclo iaith,
byddardod bedd o hirdaith
saith milltir uwchlaw tiroedd
a welan' ruban lle'r oedd.

Er ceisio gwrando, mae'r sgrin
yn ysgwyd wrth gydgodi
neu ddisgyn yn sydyn, sedd
ac oll, a holl orffwylledd
'beth pe bai'r sŵn yn methu'n
sydyn, dwed?' yn gwestiwn du
yn mhwll y stumog, gan mil
difaddau o droedfeddi
lan uwchlaw gwledydd lawer;
nid haws ffôn drwy'r stratosffêr.

Ein siwrnai, pe hyrddiai hi
rubanau o'r tyrbeini
heddiw yn bêl o huddyg,
pa les ein hystumiau plyg?
Pa les tecst? Pa leisiau teg
na chenedl na iaith chwaneg?
Pa eisiau'r bît ...

Rwy'n pwyso'r botwm,
rhoi saib i niwrosis dros ben rheswm
senarios gefn llwydnos llwm, a throi drwy'r
rhyngwyneb arlwy, cyfrwng ein bwrlwm

beunyddiol, cartrefol – twrio, o raid,
ym miri'r wefr ei hun, er mor afraid;
acenion Americaniaid, a'u hwyl
a'u hyder annwyl yn codi'r enaid.

Filltiroedd o'r un cyfaill, daw hiraeth
i droi rhaglenni yn hen gwmnïaeth,
haf o hyd yn nifodaeth entrych nef
ymhell o adref, heb ddim llywodraeth.

Yng nghlymau awyren Eingl-Amerig,
ar fwrdd y wennol, rwy'n brifardd unig,
un Cymro'n gwibio i'r gig, gan roi'i ffydd
yn yr adenydd llydan, Prydeinig.

~

CHHATRAPATI SHIVAJI

... i fyd
newydd ei saernïaeth
y camaf yn araf.

Mae'n nos
ym mwrlwm berw Mwmbái,
dunos India yn seindorf,
minnau'n sgubo'r bore
i gell wag y llygaid,
yn ŵr hŷn o bedair awr
a hanner.

Mae'n gynghanedd
drom iawn ym myd yr oriau mân,
llusgaf fy nhafod
rhacs i dacsi.

Mae'n fatsien benwen o boeth,
ond heno, dan ffetanau
fy nillad pnawn-marchnad mawr,
ymunaf yn ddiamynedd
â'r hen ddawns hwyr yn y ddinas hon,
a'i chael er hynny'n gochelyd,
yn bartner peryg,
yn ddinas oeraidd,
un nos araf
ym mwrlwm berw Mwmbái.

~

ARTISTS ONLY

... rwy'n trio agor sgwrs
â gwên, ond mae'r Cymro
ynof wedi anghofio
dod â'i holl gerdd dafod o.

Heb air i'w ddweud, y bardd ei hun! A hyn
yng nghanol llond penrhyn
o feirdd hael iawn, prifeirdd lu'n
ennill eu bara menyn

wrth fusnes eu proffesiwn – cynyddu
celc eu nawdd ryw ffracsiwn –
minnau'n anwel ddielw'n
eu mysg – yn amatur, mwn –

yn ffreutur rhyngwladol Urien ei hun,
gyda'i hanner awen;
yn bell iawn o'r Babell Lên,
sŵn ei lais sy'n elusen.

Ond dyma lais ... llais o'r llwyn wynebau
yn drydar geiriau, odlau mewn bedlwyn
o glêr – dacw aderyn bach annwyl
yn mynd i hwyl, a minnau'n ei dilyn
allan o'r hen ystafelloedd claear,
drwy'r drws i drydar ar draws y strydoedd;
allan o giw'r llwyni gwâr i giw'r lôn
unsain fel afon, i sŵn aflafar
cyrn y ceir yn cyweirio, nos a dydd,
alaw dragywydd llond gwlad ar giwio,
wrth dramwy fel drwy driog i ben taith,
sisial llafurwaith *rickshaws* llafarog
drwyn am drwyn ar hyd y dre ddisymud,
yn fwyn daranllyd wrth fynd i'r unlle.

Ond mae hi'n hen ben, yn bennill gynnil,
cân eiriog, eiddil uwch cwyno'r gweddill,
clerwraig Mwmbái gyda'r byd yn ei chân.
Gadawn y cyfan, rhag dianc hefyd,
am Fwmbái diotai'r dydd mewn stryd gefn,
ar wib o anhrefn y ffordd fawr benrhydd,
lle dywed hithau wedyn ei stori,
a'i llafar hi yn llifo o'r ewyn ...

~

'Fardd â syched, os credi
hanes hir fy ninas i,
dinas golud nis gweli;

fe weli hi fel heol
driw iawn ond, wrth droi yn ôl,
mae'i phafin hi'n wahanol.

Ac os cerddi di un dydd
yn Awst drwy dai Mwmbái, bydd
y dreiniau'n llawn dŵr drennydd.

Am drenau hon mydru wnaf
yn gaeth, ond ni waeth ble'r af,
dinas sy'n rhoi odanaf.

Nid dinas ond dinasoedd,
nid un fawr ond niferoedd,
i ba le'r â, nid ble roedd.'

Ar hyn, aderyn y daith a gododd
o'r cysgodion eilwaith
i'r stryd, a rhoi'i thrwst ar waith:

'Daw'r newid â'i ofidion
oll yn oll â'i enillion
i ddawns wyllt y ddinas hon.

Hola di y storïwyr
fan draw ar fondo'r awyr,
hola di am y cel dur

a'r milwr, am eu helynt,
dan helm fu'n crwydro pelmynt
crasboeth Kala Ghoda gynt ...'

~

Ti'r gigfran, beth amdano?
O bob un taer ar ben to,
ti yw'r mêt a ŵyr ym mha
rych dywyll mae'r march dua ...

'Os bu'r un ceffyl dulwyd,
y muchudd o'r cudd nis cwyd.'

Ti'r hen fwltur ar furiau
y *dokhma* tala'n tewhau
wrth gadw'r meirw, ble mae
yn gorwedd hen esgeiriau
cadarn y ceffyl dulwyd?

'Ni ches i farch, was, i fwyd.'

Tithau'r mosgito, aethost
i'w gnawd du i'w bigo'n dost,
mae'n rhaid! Rho i minnau wrych
yr hen lyw, rhawn ei lewych.

'Dacw'r hen geffyl dulwyd
gwael ei wedd tu ôl i glwyd
yn y sw yn ddelw dda ...'

Cel gwydn Kala Ghoda,
ac ar ei gefn, gŵr â gwn.

Ar y llain fe ddarllenwn

PRINCE OF WALES

ar ryw reilsen
rydlyd a breulyd o bren
o flaen y seithfed Edward,
ac adar gwâr iddo'n gard:

paracitiaid yn heidio
ar hyd ei helm euraid o
a'i grib uwch ac, ar ei bwys,
drydar adar paradwys;
ar ei wain, adar Annwn,
adar y si dros ei wn.

Ac yn eu plith roedd hithau'r un deryn
bach dewr yn gweu nodau
ei llên i'm cymell innau:

‘Er na all clwydi di-rif na phiod
wared o India yr hen Brydeindod,
heddiw’n y ddinas ddihenydd hynod,
ninnau ddewiswn ble’n dda i’w osod;
ac i’w nawdd hi fe gawn ddod – fel i’r sw –
yn deulu berw, yn genedl barod.’

~

TERMINAL 2

mewn haul teg,
a daw i’r clyw Hindŵeg
a Saesneg hawdd o sŵn ciw
yng nghraidd yr hangar heddiw,
ffair olau o ffarwelio
yn drist, o raid, ond dros dro.

A chlywaf uwch alawon lais anwel
uchelseinydd eto’n
fy nghalw

GO TO GATE 1
GUTO’R GLYN

(GATE 2 i’r glêr!)

... af i’w ddal,
waeth fe ddaeth hi’n amser
madael yn drwm

o hyder.

Dylan

You're Welsh, I see, like Dylan? Ie, Dylan
dalog ym Manhattan,
dewin y *no dominion*
a *seagulls* y Mumbles, *mun*.

Dylan yr hen Nadolig – hudolus,
a Dylan y sgeptig,
Dylan ddoeth a Dylan ddig,
Dylan sy'n herian Eurig.

Dylan sy'n gytgan i gyd – Dylan fawr,
Dylan fwy bob munud,
a Dylan y diolud,
Dillun Manhattan o hyd.

Ond dalen heb ei llenwi – yw'r Dylan
brwd a welaf heddi,
dylanwad yw eleni,
dalen wen, ein Dylan ni.

Doethion

Er profi'r geni ganwaith – dyro i ni
Drwy'r niwl ran o obaith
Diamod tri chydymaith
Un nos olau'n dechrau'r daith.

Gweddi'r Nadolig

yng Nghapel y Morfa, Aberystwyth

Diolchwn ni, gweddïwn – a chynnau
Mwy na channwyll, meddwn;
Â'i gwên hi fe gynheuwn
Dân i Grist drwy'r byd yn grwn.

A hwnnw'n grwn fyddo'n grud – i'r baban,
Cana'r bobol hefyd
Dôn i Grist yn gôr astud,
Suo gân i Iesu i gyd.

Inni i gyd dan y goeden – dyro, Dad,
Eiriau doeth yn llawen,
Dyro gân i dŷ'r gynnen,
Ac i dŷ rhwyg dyro wên.

Gwna wên o'n digio ninnau – a thawdd di
Eleni'n calonnau,
Dyro gysuro o gasáu,
O gweryla, garolau.

Boed olau'r byd o alar – a di-lid
Ei wledydd dialgar;
Ganed Duw, gwyn yw'n daear,
Cadwn y co', Duw a'n câr.

Pedair cerdd o Efrog Newydd

I
Ellis Island

Mae aeres drom ar y strand,
Fferi ar y lli a'i llond
O gargo'n dymuno mynd
I solas Ellis Island.

Deil hon i gludo olynwyr
Y mudo heno i dir –
Dim ond i weld min y dŵr,
A rhythu am awr wrth y môr

Ar hen luniau'r ciwiau cul,
Y rhai trwm reit i'r ymyl;
Dyn â'i gas dan ei gesel,
Dynes â'i chês yn ei chôl.

Ar gerdyn post a phoster,
Mae'r eigion yma ar agor;
Dociau braf, dinas lafar,
Dynes werdd o dan y sêr.

Rhy hawdd yw coelio, ar ei ddoc eilwaith,
Holl addunedau'r sloganau ugeiniaith:
Bod d'anwybod yn obaith – a gorwel
Dy ryddid i'w weld ar ddiwedd y daith.

Ond am nad oedd ond dymuniad iddi,
Am nad oedd ym Manhattan na chyni
Na sen, dim ond dadeni – cyfoethog
Y tyrau'n annog, y mentrwn honni

Na syllodd neb yn wyneb pegynau
Ei hynys enwog fel y gwnes innau,
A darllen llinell denau'r – entrychion
Uchel un noson, a'i chael yn eisiau.

II

Wylan deg

Wylan deg ar lan y dŵr, loeren hirben yr harbwr,
Manhattan ni all brynu deunydd ysblennydd dy blu.
Plu eira – pwy, o lawr pae y cynigwyr ceiniogau,
sy'n ddigon ffôl i holi pris dy glog adeiniog di?
Peri gwymp!
Aur yw ei gwerth (dy fol gaeafol gyfwerth).
Herwr, hwsmon y tonnau.
Awyren uwchben y bae.

A weli di dros y don acw ferch y cyfarchion?
Dacw hi.
Hwde, cywydd i'w drin fel y sewin sydd yn rhwydi'r aig –
cymer, dro, docyn cennad cyn cinio!
Cer, brysia tuag ati a chyrch yr aer i'w chaer hi.
Mynna hynt i mewn i hon yna chwilia'n ei chalon.
Hi yw'r un ar yr ynys.
Y gannwyll losg yn y llys.

Dis y don, a gludaist ti gywyddau tebyg iddi?
Anfonodd llawer clerwr o dwrist air dros y dŵr,
a theithwyr dros y mur, mwn, er mesur eu hemosiwn.
Ond a welaist ti, wylan, gystal am gynnal y gân
i'r ddynes hardd yn y siâl?
Yr eneth yn yr anial.
Franwen firain y foryd ar draeth ei hiraeth cyhyd.

Ei heiddo dros glod y glêr yn y bae yr holl bŵer.
Dyro di'n win neu wenwyn ei geiriau teg ar y twyn.
Oni ddoi, fy niwedd i o'r lan, wylan, a weli,
am gynnal yn y galon lun y ferch greulonaf hon.

Ei hwyneb hi sy 'mhob peth bob awr, wyneb yr eneth.
Yr eneth yn yr anial.
Y ddynes werdd yn y siâl.

III

I ofyn ystafell

We're sorry, sir yw ei sŵn,
We're certainly sorry – soon
Yw ei farn, barn y babŵn.

Rwyf i'n glaf am ystafell
Gêl i ni gael hwyl, un well
Na'r un yfflon hon (sy'n hell).

Un â bath, rwy'n gobeithio,
Nid hen swît iawn i swatio,
Swît llawn 'ys tywyll heno'.

Uchod yn yr entrychion
Neu'n y gwraidd a oes un gron,
Garedig i gariadon?

Ystafell nad yw'n gell, gwed?
Ystafell well o ran lled,
Ystafell eos Dyfed?

Nawr, Al, rho inni rywle
Arall, was, a gwnawn ni'r lle'n
Baradwys uwchben Broadway.

Ar ei silff ymhell o'r sŵn
Ynghau ym mreichiau marŵn
Ystafell uchel llechwn,

Uchel fel Rockefeller ...
Ok, enough! Can we offer
A fairer suite for free, sir?

IV

Times Square

Rwyt ti'n ifanc dy strancio – ac mae gweld
Camau gwag dy grwydro
Mor rhyfedd! Ond mae rhifo
Dy ddwy ganrif fel rhifo – dwy eiliad
O heulwen i Gymro;
Dy hanes, beth amdano?
A dwi'n hoff o dy wên hy – dy actio
Hectic wrth wamalu
Diwylliant, a dy allu
I greu gwlad, adeiladu – floc wrth floc,
Fel hud, dy fasnachdy
Yn fawr, fawr fel yfory!
Ond mae sgrechian dy hanes – i bob man,
Fabi mawr, yn gyffes:
Nid wyt nawr un dot yn nes
Ar dy ddeial at Wales – nac at go'
Marro na Biwmares;
Nid yw Donaw'n dy hanes.
Felly pam yr holl ddrama? Pam aros
Campau mawr fan yma
Yn dy wylio di'n dala
Hanes ei hun, hynny sydd – gennyt ti'n
Ddau gant oed? Oherwydd,
Yn fras, fod dinas Caerdydd
Yn iau nag Efrog Newydd.

Cymraeg o'r crud

Wrth roi i dy fabi ei ddiod – a'i faeth,
Rho fwy, rho ryfeddod,
Am y bydd un dydd yn dod
I'w lawn dwf lond ei dafod.

Tafod newydd

Ar ôl llyncu'r holl lafariaid,
Garglo bwced o gytseiniaid,
Sipian ambell 'fore da',
Blasu'n felys iawn 'nos da',
Llowcio 'diolch' fesul dau,
Brathu mewn i ddeg 'shwmae' ...

Fe fydd rhywbeth mwy na iaith
Gennyt ti ar hyd y daith,
Sef y gallu i brofi'r byd
Heddiw yn Gymraeg i gyd.
Tyrd i flasu'r ddaear hon
Ar dy dafod newydd sbon.

Porth

‘Pa ŵr yw’r stiward?’
‘*Pardon*?
O, Lloyd, mate. Sa i’n clywed, *mun*!
Pwy sy’n gofyn?’
(Yn y gìg
mae tiwniau catatonig
yn ystwyrian.)
‘Ma’ stori,
’na i gyd, dau funud, ’da fi
i’r plant.’
‘Drwy’r bac? ’Sdim *access*,
sori, heb *safety assess*
neu *pass*, nawr. Ond pwy sy ’na
’da ti?’
(’Da fi? Haid fwya’
di-hid a digadoediad
y dre, Lloyd, rhai gwyllta’r wlad,
cnawon bach sy’n ffricin *bored*,
cynrhon, cywion pwcaod
a’u rhieni wedi went
i eistedd o dan lasdent
y bar.)
‘’Mond criw o blant bach
sy nawr, addo. ’Se’n rhwyddach
pasio ffor’ma na’r canol
i’r cornel tawel tu ôl
i’r gìg, Lloyd!’
‘Ok. Der gloi.’

A'r gwahanfur i gonfoi
o arwyr bach garwa'r byd sy'n agor;
sŵn ogof rhwng deufyd,
staff annwn a'u clustffonau a sŵn rigs
yn rhoi ac, o'n holau,
mae gŵyl Tafwyl yn tyfu ar y maes,
grym ei amp yn denu
a sŵn alaw'n croesawu, hyd yn oed
a'i nodau'n byddaru,
sŵn y tonau sy'n tynnu,
Woodstock Bourgeois Roc a'i ru ...
ond sŵn fel llanw'n pellhau a glywaf,
a hoblaf dros geblau
dan draed y dwndwr ei hun, a minnau
bron am ennyd wedyn
yn edifar i Dafwyl yrru bardd
o'r bar at ei orchwyl,
a holl stôr Clwb Ifor Bach ar y maes!

O'r maes a'i gyfeddach
ar hast i gefn y castell af â chwt
fach o ieir drwy'r babell;
yn fardd o bibydd fe af â hwy i ffwrdd,
am ffi, yng Ngorffennaf
ar drip awr, a darparaf
ar lawnt werdd ar lannau Taf

ofal plant. Plant. Yn eu plith
rwy'n odlwr-warchodwr chwith,
yn lwsyr hen, liaws rhith!

Rwy'n enwi beirdd. Mae rhai'n *bored*
yn ein clwb bach, nes cael bod
enw Ifor ar fy nhafod

wedi'r cyfan, a'i hanes
fan hyn gennyf i'n gynnes
i'w rannu â'r rhain yn un rhes.

'A'r lloer uwchben Senghennydd,
cysgod sy'n dod i Gaerdydd!
Weli di ...'
(yng ngolau dydd
ar y lawnt)
'... pwy sy o'r lan
– welaist ti gip? – yn cripian
i fyny'r mur?'
'Spiderman!'

Nid yn union, esboniaf.

Yn fy ôl ymbalfalaf,
ond troi a wnânt, er a wnaf,
i ladd efo cleddyfau
pren y siop, rhoi'r un siapiau
â'u harcharwyr i'r chwarae
newydd hwn yn hen ddinas
Ifor ei hun, er mor fras.

Heidiant ar hap, rhedant ras
dan draed, a dwndwr o hyd
fel gŵyl Tafwyl sy'n tyfu
draw'n y maes, drôn y miwsig
yn galw, galw i'r gìg.

Ond rhaid troi at y rhai hyn
o'm blaen, y mob, ailennyn
eu sylw nes ei hoelio
ar dŵr uwch y gorthwr, dro.

'A fedrwch chi fel Ifor gipio'r iarll
o gopa'r wal, dringo'r
un staer yn y gaer ag o
ryw nos ...'

Ond mae'r gair nesaf
ar y lawnt werdd ar lan Taf
o'u clyw yn dianc, a lôn
o'u blaen, un gwbl union,
yn cymell eto'u camau
i dŵr gwyn nad yw ar gau,
a than waedd eu chwerthin af
hyd y lôn; fe'u dilynaf.

O ris i ris af nôl drwy'r oesau,
yn fyr fy anadl, cyfraf innau
bob llam wrth i'r maes bellhau, ac anfon
fy ngwystlon bach dewrion drwy'r dorau.

Oedaf. Clywaf yng nghlec alawon
y gig islaw, nes draw, hen straeon
sy'n oeri'r gwaed, sŵn ergydion diball,
dwndwr arall dan dyrau oerion.

Er cofio triciau Ifor
ddydd a aeth, pan oedd i ddôr
folltau hir neu fwyyll du,
er cofio iddo faeddu
ag arf gref ... gorwyr Ifor o gronglwyd
yn ara' a grogwyd a'i rwygo ar agor
ar y maes, ar ffrâm wŷdd yn y gaer hon,
llosgi'i galon ac arllwys ei goludd
dan draed, a'r dwndwr wedyn yn codi,
yna'n chwarteri ei dorri, y dyn
nad oedd yn ddyn wedyn, wedi'i ddad-wneud,

ac yna'i ail-wneud yn gynnil i ni
dan frain, i'w gweld yno fry yn cnoi'i ben,
pen Llywelyn Bren yno'n breuanu
ar bawl ar grib y waliau, ond yn ffres
yng ngaeaf hanes, yn fy nghof innau.

Sŵn plant. Rhedant ar aden
o fur fry, lle bu ei ben.

Haid o dwristiaid am dro
diwybod a â heibio.

Taith dywys ni ddengys ddydd Llywelyn,
a'r llawlyfr nid edrydd
ei enw; fe geidw'n gudd
angau hwn yn Senghennydd.

Ni ŵyr y plant, er pob antur waedlyd,
a pha odlwr penfyr
a rannai'n gas â'r rhain gur
difaddau'r gwae a'r gwewyr?

Gwyn ei fyd a ganfu hedd
ar lawr, ar ddaear lorwedd;
dedwyddach ydyw'r diddysg,
ac o ddydd i ddydd ni ddysg
neb wers yn wyneb arswyd
onid hon: gwirion a gwyd.

Felly paid, ni raid i'r haf
oeri a siomi, rhesymaf,
sensor hanes sy'n serennu o dro
i dro ac yn celu
dro arall; nid gwaeth dallu
holl ladd ddoe â llinell ddu ...

Ta waeth, fe aeth hebof i y rhain oll
lawr yn ôl dan weiddi,
a'r floedd fel pe'n cyhoeddi
'Ifor yw fy arwr i'
ar yr awel ... ai ffraeo? Duw a ŵyr!
Yn eu stŵr a'u hagro
mae rhyw egin Cymreigio
yn nhŷ drud y Norman, dro.

A'r awr ar ben a phob cenau ar wib,
y criw drwy'r tir golau
consentrig hwn sy'n troi i'r cae
o drywydd hen storïau,
o gno'r gwynt a'i gŵyn ar gantel y tŵr,
ac ânt oll a'm gadel
i edrych o'r mur uchel,
a haid rhieni'n eu hel
isod i'r maes draw am hwyl, i ganol
ei ganu diorchwyl.

O'r bryn braf fe welaf ŵyl,
rhithiau Ifor, a Thafwyl,
adar y mur, dôr o'r maes, mastiau mwy
stadiwm wen yr hirfaes,
tyrau uwch, a hwnt i'r Aes
wyneb eurlliw'r Bae hirllaes.

Mae isgyweiriau o'r maes agored
yn dal i rafio, 'tyrd lawr i yfed!',
a'r dydd yn newydd, a'r haid ddiniwed
o anystyriol yn hastio i waered;
ond er hyn, mae gen i drêd i'w adwen,
baich hael o awen, a neb i'w chlywed.

I bwy y canwn, pe bai i'w cynnau
un haid drugarog yn gwrando'r geiriau?
A beth a ganwn, ai gobaith gynnau,
undydd o antur, ai'r diwedd, yntau?
Ai rhoi i Ifor fy ngorau, ai canlyn
lôn gau Llywelyn? Ai gwyll, ai olau?

Nid oes un dewis! Yn wên y deuwn
â chân i'n harwyr bychain, a heriwn
hwy gnawon milain, hwy egin miliwn,
hwy genedlaethau o gnawd a lwythwn
â hen ddyheu y dydd hwn; gydag ach
hen Ifor Bach eto'n fawr y'u beichiwn.

Dôn' nhw cyn hir nôl i dancio'n eirias
a chwalu seiliau a chwilio solas,
i siglo'u henaid ar faes galanas
a chicio'n dalog yn sgrech Candelas,
wedyn, mi wn, dôn' nhw mas i gywain
eu cerddi'u hunain o draciau'r ddinas.

I'r porth ar Daf lle curai'u hynafiaid,
yn sŵn ergydion, nid oes nawr geidwaid,
ie, ond os dwrdia o hyd stiwardiaid
y cnafon plant, canaf innau'n eu plaid;
heibio'r hen ragddor, o raid, mae can dôr
arall i'w hagor mor fawr â'u llygaid.

Yn y sêt nesa' ata'i

Yn y sêt nesa' ata'i
Roedd un bwbach bach heb air
I'w ddweud am hen draddodiad,
Na choron glws, na chorn gwlad,
Fel 'tai'n ei sêt bryfetach,
Cynrhon byw yn cnoi'r un bach ...

Nes iddi hi ysgafnhau,
Nes, fel hud, i'r ddawns flodau
A'i dail bach gwyrdd ei delwi,
A hawlio'i holl sylw hi'r
Angyles fach, fach, ddi-fai
Yn y sêt nesa' ata'i.

Hyd yn oed ym Margoed

'Hyd yn oed ym Margoed mae
Dwy iaith i'w clywed weithiau ...'
'Ym Margoed, hyd yn oed? Na,
Nid oes dim ond ust yma.
Dim Cymraeg, dim Cymry hŷn
Nac ifanc. Paid â gofyn.'

Gwranda di. Mae'r geiriau'n dod.
Sŵn iaith yn trwsio nythod;
Sŵn y geiriau sy'n gori
Ar stadau sy'i heisiau hi,
Sy ei hangen hi heno;
Yn nhrefi'r rhain, hon yw'r fro.

Hon yw'r fro, rhain yw'r broydd
Sy'n pennu yfory fydd.
Heddiw, yma'n ddiamod,
Bu'r iaith yn moyn byw erio'd.
Fel erio'd, ym Margod mae
Dwy iaith i'w clywed weithiau.

Nyrfs

Steddfod Gylch. Hanner cylch. Côr.
A dwi'n rhyw ddarpar denor,
Yn fachan o soprano,
Y tro hwn yn y ffrynt *row*
Am fod ambell fadam fach
Reit dila'n llawer talach.

Ac mae'r llais digymar, llon
Yn swffle o lais yfflon,
A'r bol yn llawn gwenoliaid
Neu chwain powld yn gwichian 'paid!',
Yn dŷ mawr i gryndod mân
Gwyfyn llafar gefn llwyfan.

Dringo'r grisiau i'r neuadd.
Dod ymlaen wedi ymlâdd.
Rhuthro i mewn, rhythu ar Miss.
Yma dwi? Taw, dim dewis.
Sŵn gwaedd gras yn y gwddwg.
Trio rhoi gwên. Taro gwg.

Er gwaetha'r tro cynta' cas
I'r mab byr a'i embaras,
A'r Steddfod un diwrnod, dig
A'i nodau diflanedig,
Mae un rhan o'r soprano'n
Gofyn – pryd ga'i wneud hyn 'to?

Rhieni dros Addysg Gymraeg

yn drigain oed, 2012

Mor hawdd yng Nghymru heddiw
Yw coelio o hyd fod dim cliw,
Neu waeth, gan genhedlaeth hŷn
Am far, am drydar wedyn,
Dim syniad, mas ohoni,
Dweud 'cŵl iawn' lle na wnawn ni.

Mor hawdd anghofio mai rhodd
I mi gan ddau a'm magodd
Yw fy iaith, fy iaith fy hun,
Iaith bar i drydar wedyn,
Mai mamiaith gwlad fy nhadau
Yw iaith ddewr cenhedlaeth iau.

Ie, rhodd, er anodded
Gyda'r criw i gyd roi cred
Yn hynny pan fo hanner
Yr iard yn mynnu rhoi her
I reol yr athrawon;
Iaith rwydd iawn i'w throi oedd hon.

Ond roedd rhai'n driw ddoe, er hyn,
I barhad byw yr hedyn,
I ddal mla'n, i waith manwl
Pwytho'r co', er nad yw'n cŵl;
Iaith ein dydd, nid iaith nad oedd,
Iaith gref, fyw, iaith gyrfaoedd.

Rhag gweld rhith, rhag ildio'r rhodd,
Rhag cur, y rhai a'i cariodd
Yw rhieni yr heniaith;
Drwy'r rhain mae siarad yr iaith
I'r rhai cŵl iawn heb ddim cliw
Mor hawdd yng Nghymru heddiw.

I Heddlu Dyfed-Powys

i ddathlu eu hanner canmlwyddiant, Ebrill 2018

Rhowch bob *notepad* i gadw,
Mae'n jiwbilî'r bois *in blue*!
Nawr a'r cops yn hanner cant,
Huliwn wledd, dathlwn lwyddiant,
Canmol hanner can mlynedd
O droi'r rhod, o gadw'r hedd.

I griw'r bît, mae bît y bardd,
I dorf o'r *fuzz*, cadeirfardd;
Pwy arall fyddai'n paru
Hen firi llên efo'r llu,
Neu'n urddo llanc yn fardd llys?
Dwed, pwy ond Dyfed-Powys?

O Lansilin i Solfach,
Tyddewi, Cilmeri a Mach,
Un sir i'r ffors yw o'r ffin
I'r lli yn y gorllewin,
Blanced o gymunedau
O Faenorbŷr fyny i'r bae.

I'r llu wrth ddathlu, beth ddwed
Am hynny bob cymuned?
'Diddiolch a diddiwedd
Yw y draul o gadw'r hedd,
A di-sôn yw gweision gwae,
Dison, nes bod eu heisiau.'

A beth ddwed y bathodyn
Yn ei gylch o arian gwyn?
'Cadwn, cynhaliwn yr hedd,
Dyna'n rhaid a'n hanrhydedd,
Am mai calon plismona,
Onid e, yw enw da.'

Wedi'r oes o gadw'n driw
I hedd, clywn ninnau heddiw'n
Un gymuned gymwynas
Yn seiren hir, glir y glas:
Mae, bell draw, ar ambell dro,
Yn seiren i'n cysuro.

Chi weision, galon y gwaith,
O'ch hoe yma, ewch ymaith
Yn bobis triw i'r bobol,
I'ch iau gymunedau'n ôl,
Ewch i'r her ar ddechrau'r ha'n
Weision i'r pum deg nesa'.

Elis

Nid yw'r byd yn dysgu dim.
Ar ddioddef mor ddiddim
Gwrendy, heb ddysgu'r undim.

Nid yw awdlau'n cystadlu
Â dur sy'n diystyru
Poen y bardd fel pe na bu.

Ni waeth pe bai'r geiriau'n ôl
A bod iaith heb ei dethol,
Y Gadair Ddu'n goed ar ddôl.

Cans Elis y *service* yw,
Breuddwyd a wadwyd ydyw,
Atgo'i lais sy hwnt i glyw.

Nid yw'r MOD'n dewis
Ffwsilwyr y ffos, Elis,
I hyrwyddo moto'r mis.

Pa ladd? Mae'n glamp o loddest,
Elis, *Armed Forces* yn ffest,
Bedd y bardd yn *Be the Best* ...

Seinied d'awen eleni
Ganwaith, ganwaith rhag inni
Droi dy awdl a'th Gadair di

Yn *Help for Heroes* o hyd;
Am dro, anghofio hefyd
Y geilw'r bardd o glyw'r byd.

Mynyddoedd

Yn Nhryweryn, Eryri
Yn nechrau'r haf welaf i,
A'i chopaon dyfnion, du
Ar yr wyneb yn crynu.
Ym mhyllau hon mae holl led
Eryri oriwaered,
Mynyddoedd o'i mewn heddiw,
I'r seler oer fesul rhiw
A llechwedd, ei holl lechi
A'i muriau mawr, mwya' hi,
Yn slipio, llithro i'r llyn.
Eryri yn Nhryweryn.

Er cof am Eifion Gwynne

trydanwr a chapten tîm rygbi Aber, Hydref 2016

Awyr ddu ar Ffordd Ddewi – a di-haf
Wedi Eifion heddi
Yw'r holl dref, a'r cartrefi
A wnaeth yntau'n olau i ni.

Eifion Gwynne, dim ond unwaith – Eifion Gwynne,
Fwyna' gŵr diweniaith,
Eifion Gwynne ddiofn ganwaith,
Ac Eifion Gwynne gefn y gwaith.

Eifion Gwynne finiog ei ên – Eifion lyfn
Ei lais ym mhob angen,
Eifion Gwynne, addfwyna' gwên,
Eifion follt fan y fellten.

I'r dre fu'i gartref i gyd – ac i'r bois
Ar gae'r bêl bob munud
Fe rôi Eifion wefr hefyd,
I bawb fe oleuai'r byd.

Rhag pob galar, daearodd – ein tai oll,
At iws, diogelodd;
O'i ddaearu fe dduodd
Pob tŷ am hynny'r un modd.

Er duo heno'r tai hyn – byw o hyd
Wifrau bach diderfyn
Y cof, a ddywed wedyn
Sut i gynnau'r golau gwyn.

Bu'n dad ac yn gariad gwir – brawd a mab
Er dim oedd, a chywir,
Y seren a drysorir,
Capten a derwen ei dir.

Diolch i Huw Walters

Mae ogof yr anghofiwyd
Yn llwyr ei lle ar y llwyd
Lechweddau oer, a chloch dda
Yn ei genau a gana
Pan fydd eu hangen, drennydd,
Arthur a'i wŷr, ar wlad rydd,
Ogof ddi-nos, ddiddos, dda
Ac ynddi hi gynhaea'
O ryw serog drysorau ...
Bobol, mi wn ble y mae!

Cenais i gloch ar ochor
Pen Dinas, a dyma stôr
O gyfoeth gwiw o fath gwell
Yn agor fel hen logell
Yn y bryn. Yn Aber roedd
Holl drysor llwyd yr oesoedd
Yn rhith gwan wrth ddigonedd
Gloywach, helaethach y wledd
Yn rhif deg, Bryn-teg ... un tŷ
Yn Dardis o ystordy.

O silff i silff gwelais i
Ogof fras o gyfresi:
Cylchgrawn Hanes, *Taliesin*
Fesul un, pob rhifyn prin,
Sir Ddinbych, rai gwych i gyd,
Cyfan *Morgannwg* hefyd,
Ceredigion meillionwyn,
Gleiniau bras *Barddas*, bob un,
A phâr go graff o *Weiren*
Bigog i gau llyfrau llên.

Rhofiais innau'r mwynau mas
O'r fan o dan Ben Dinas
Heb i Arthur neu borthor
Gyrraedd â'i ddwrn i gau'r ddôr,
Am mai tŷ diamod Huw
Ar stryd ddirwystr ydyw,
Lle mae dôr sy'n agored
Fel llys haelionus ar led,
Huw'r em ymysg y rhai mân,
Un em o lannau Aman.

Os yw'r dynion haelionus
A rôi'r holl aur ar lawr llys
Uwchben yn wybren y nos
Fel darnau'r aur yn aros ...
Mewn brawddeg, ychwaneger
Huw Walters Hael at y sêr!
A chi'r beirdd, ar chwarae bach,
I'r un gwŷr yn hau geiriach,
Peidiwch! Ni waeth pwy ydyw,
Nid yw'n hael onid yw'n Huw.

Gwenllian Mair

Swyddog Etholaeth Plaid Cymru Ceredigion

Er i'r gwleidyddion honni – ein llywio,
  Gwenllian, fe wn-i
Nad yw'n ddim syndod inni
Yn barhaol d'ethol di.

Yn y sir hon, os, o raid – yw'n frwydr
  Fawr o hyd, a thanbaid,
Er hynny, llon yw'r enaid
Ym mhob plwy, a ti o'n plaid.

O bob trum ac ym mhob tref – o bob clwb,
  Ym mhob clos a chartref,
O bob palmant, pob cantref:
Ymla'n, Gwenllian, yw'n llef!

Trefor Puw

Wncwl Tref, ar ddydd ein priodas

Cenaist, Eos Rhydroser – o lwyn dail
Inni'n dau yn Aber,
A bydd sôn am dôn dyner
Dy lais hardd tra deil y sêr.

Bwthyn yr Onnen

Ledled y wlad, o'r stadiwm
I stad y plas a'i do plwm,
O'r tai hir i'r tai teras,
O dai gwin i lofft y gwas
Ym mhen draw Môn, sôn y sydd
Am dân iau, am dŷ newydd.

I'r Poweliaid mae'r palas
O fwthyn yn y glyn glas,
Y cwm yng Nghreuddyn lle cânt
Fwynhau cân afon Ceunant,
Gweirglodd lle curodd cerrynt
Olwyn gain y Felin gynt.

Na, nid tŷ mewn deugant yw
Ar stad, nid sied drist ydyw,
Na *new build* eiddil, diddim,
Ond bwthyn â phob un bîm
Yn graig gref o'r brig i'r gwraidd;
Dinefwr Sgandinafaidd.

Ar waun lle tyfai'r onnen,
Pa les brics? Gwell plas o bren!
Egin coedwig bin o bell
A dyfodd yn ystafell;
Deildy aur uwch dôl dirion,
Neuadd â sbec newydd sbon.

Fel *flat-pack* y daeth acw
Gaban y wig, ebe nhw,
Tŷ opera o Latfia ar lawr
Nad âi i'w le mewn dwyawr!
Daeth yn y diwedd, meddir,
I'w godi holl seiri'n sir.

Gan edau pin gwnïwyd pwyth
O drawstiau ar dir Ystwyth.
Gwnïaist fel anrheg newydd,
Y barwn hael, Barry Nudd,
Dŷ pren Gles ar dop bryn glân;
Ni chei fireiniach hafan.

Nyth un lôn eitha'n y wlad,
Nyth eryr o wneuthuriad,
A llwyfan sy ym mansiwn
Y cyplau lle mae, mi wn,
O dan sêr yn nyfnder nos
Lawr i glerwr gael aros.

Parhaed ystwythder y pren
Y tu fewn fel twf onnen.
Mae'r trig yng Ngheredigion,
Eto mae y tŷ ym Môn,
Tŷ glas, neuadd fras o fri,
Glasach â Iago a Lisi.

Sali Walters

ar ei hymddeoliad fel ysgrifennydd Capel Bancyfelin

Ym melin fach ein moli – trôi'r olwyn
Er pob traul oedd arni;
Yn ddisylw, roedd Sali
Yno yn ei hiro hi.

Haydn Thomas

i ddathlu hanner can mlynedd
o wasanaeth yng Nghapel Bancyfelin

Yn d'oes di, fe rwydaist stôr – hadau grawn
Dy gred lond d'ysgubor,
Ac â'r Tŷ eu rhannu i'r Iôr
Yn felinydd o flaenor.

Cwlwm

Pysgotwr yn y mwrin
Yn rhwymo'n fodlon ar fin
Yr hen gei ronyn o gwch
I gwlwm diogelwch,
Plethu'i gamp laith o'i gwmpas
Rhag i'r môr ei gario mas.

Minnau ar fin cymoni
Fy mhlethwaith llaith ger y lli,
Cordeddu'n dynn derfyn dydd
Rith o gywarch wrth gywydd,
Yn gwlwm plyg o'i gwmpas,
Rhag i'r môr ei gario mas.

Cywydd iacháu

i Iestyn Daniel, golygydd deunaw o Feirdd yr Uchelwyr

Mae Iestyn i'r gwely'n gaeth ...
Fe gurai ef gyhyraeth!
Nid oes ofid a safwn
Eto gyda fo – saif hwn
O'i wely, gwn, fel y gall
Fwrw i lawr Ferlot arall,
A dwyn fy mhwdin innau
(Fe'i cewch pan ddewch yn ddi-au!),
A daw hwn, fe wn, am fod
Ei feirdd difyr rhwydd-dafod
Am iddo lyncu moddion
Sain neu groes, nid pilsen gron.

Dweud mae Bleddyn Ddu na ddaw
Ichi hirlwm na churlaw,
Geiriau'r Proll a'ch gwna'n holliach
Heddiw byth, a Dafydd Bach;
Dafydd y Coed, feddyg call,
Ac Iorwerth, feddyg arall,
A Meurig, ar fy marw,
A wellai waeth, ar fy llw!

Mae Ipocrás – y Mab Cryg –
Yn fwy iddo o lawfeddyg,
Ac fel llusg, felly i'w esgair,
Gwilym Ddu a glymodd air;
Rap gaeth gan Dudur ap Gwyn
A'i cwyd yn cicio wedyn.

Lladd, Ieuan, â'th holl ddeall
Y boen i gyd heb un gwall;
Tudur Ddall, ty'd i'w ryddhau
Yn llwyr gyda'th holl eiriau,
Ac, os wnei-di, Gasnodyn,
Torra di gadwyni'r dyn.

Iachaed y beirdd gwych dy ben,
Rhwyged dy ludded Lawdden,
Deil eli dau Lywelyn
Y sefi di gyda hyn:
Ab y Moel (ba mwy eli?),
Ap Gutun sy'n d'ennyn di;
A chân dau Ieuan a dyr
Â'u dwy awen dy wewyr:
Y Gethin ichi'n iachus,
Iachâ'r Llwyd chi a'r holl lys;
Ac yn olaf, glaf, o'r Glyn
Ar hast i'ch ochr, Iestyn,
Fe glywch y doctor gorau'n
Dwyn y glod i'ch mendio'n glau.

Y deunaw bardd, dôn' i ben
Â'ch iacháu chi â'u hawen,
Ond i hwyluso'r oriau
Nes y dewch heb ddim tristáu
Yn iach, ymrowch am ryw hyd
I fwynhau f'un i hefyd!

Ffarwél i Barry Lewis

cyfaill a chyd-olygydd canu'r beirdd i seintiau, Medi 2014

Yn ôl y fuchedd, meddir
(A'r holl Ladin ynddi'n wir),
Lladron llwyd Erin yn llu
Aeth i'w thraethau i rythu,
Un nos, ar ein hynysoedd
O'r gorllewin – Erin oedd
Yn dwyn gwŷr o Brydain gynt –
Gyrru hen long i gerrynt
Chwim y môr, a chymeryd
O greigiau draw gargo drud,
Hufen ei fro, llafn o fri,
A dewr, os gwir y stori.

O Ddulyn mae Gwyddelod
Y tonnau du eto'n dod
A'u bryd ar ddwyn Barry, ie,
Ail Badrig, yn wlyb adre!

Barry, wên goch y Rioja,
Barry, y dyn am bryd da,
Barry ar wib, pawb ar ei ôl,
Barry, rodiwr bro Reidol,
Barry, ddoethaf bardd weithiau,
Barry, wedd llwynog am brae,
Barry, ni saif ond barn siŵr,
Barry, hudol sibrydwr,
Barry, fêl ein gwehelyth,
Barry, fab i Aber fyth,
Barry a'i wit a'i ddawn brin,
A Barry wyneb Erin.

Ein colled ninnau'm Medi
Heb ei ddysg yw ei budd hi.

Iwerddon, hen ladrones,
Da ti, dal Barry ni'n nes!
Fe wn, a'r dyddiau'n troi'n fyr,
Wrth imi godi gwydyr
Y gwin, y daw o ganol
Hibernia werdd Barry'n ôl.

Diolch am lyfr

Gwaith Tudur Penllyn

Gwthiwyd trysor un bore
Drwy safn drws fy nhŷ'n y dre.
Reit ar fat fy nghartref i
Efo lein o daflenni
Gwan, diog yn ei dywys
Safai llyfr, llyfr gan fardd llys,
Golygiad ysgolheigaidd
O destun – fel un am flaidd
A ddygodd gig o ddwy gaill,
Ie, wir yr, a rhai eraill
Am wrach oer a merch wirion
O Saesnes sur, rhai sy'n sôn
Wedyn am oed yn nhai mawr
Y rhyfelwyr o Faelawr
I Went – ond yn fy nghyntedd
Roedd ym mhos hen fardd y medd
Ddirgelwch: drwy'r blwch o ble,
Dwed, y bwriwyd y bore
Oer hwnnw ar fy rhiniog
O'r newydd lyfr yn ddi-log?
Pa ystyr oedd i'r postio?

A chofiais, dihunais, do,
Cofiais am gais a wnes gynt
– Ar ôl mewn môr o helynt
Dwrio'n wael drwy anhylaw
Fryniau o lyfrau ail-law –
Cais i ŵr bwrcasu ar
Fy rhan gyfrol gyfrina'r
Genedl, cais i'r bargeiniwr
Gorau'n byw, nid unrhyw ŵr:

Y twriwr chwim, y twrch hur,
Teigr y ffontiau, Gruff Antur.

Y llyfr, rhodd well i fardd oedd
Na holl win Bordeaux'n llynnoedd,
Am mai rhodd fach amryddawn
Gan fardd oedd, rhyw gnaf â'r ddawn
I greu cywydd llawrydd llon,
A'i greu fel y goreuon
O'r oes aur a drysorwn.
Ail oes aur? Fe glyw ei sŵn.

Uwch y llyn ym Mhenllyn mae
Y Tudur Antur yntau,
Ac wyf Eurig o Ferwyn,
Y clawr glas, clerwr y Glyn.

Fy mhorthmon tirion, os tâl
A fynni di, fardd dyfal,
Ni chei fil na chyfalaf
Na swm o bres mab yr haf,
Dim ond y gân hon dan hen
Fythol reol yr awen –
O roi'r glêr ar y glorian,
Bydd yn dragywydd y gân.

ystamp.cymru

Mawrth 2017

Ers saith mlynedd bu cleddyf
angau ar gylchgronau'n gryf,
troi miloedd yn bunnoedd bach,
torri grantiau rhy grintach,
ac yn fisol didolir
rhyw un teitl i'w roi'n y tir ...

Ond daw sŵn, ac mae'n dwysáu,
i grynu dan gylchgronau,
dan esgidiau'n ysgydwad,
yn towlu'r wledd, ratlo'r wlad,
sŵn clamp o STAMP nos a dydd,
cic i'r ŵyl, cracio'r welydd.

Os marw'r hen elw i ni,
yma ar lein mae'r aileni,
felly rho, gyfaill, le rhydd
i'r wefan yn dy grefydd,
rho dy lein i'r dalennau,
rho stori i ni ei mwynhau,
rho dy stamp direidus di
dy hun ar y dadeni.

Fy marf

Mae rhai'n meddwl mai dwli
Cas iawn yw fy locsyn i,

Barf hyll sy'n brifo o hyd,
Chwerw hunllef ddychrynllyd,

Sws ci neu hen wisgers cath,
Hen, hen fyrgyr, neu forgath,

Blew merlyn, stybl morlo,
Ochor tŷ neu lechi'r to ...

Ond i mi, barf dwym yw hon,
Un cŵl i godi calon,

Ie, barf sy fel y borfa
Yw hon yng nghanol yr ha',

Nid llafn hir ond llyfn yw hi,
Llyfnwych, nid llew i'w ofni,

Ond oen newydd, diniwed
A'i wlân fel sidan neu swêd.

Ac felly, fwyn gyfeillion,
Siawns eich bod chi'n hoffi hon?

Dychan i swyddog carafáns

stori wir

Ar Faes C, ar hen lecyn
hael a braf ar ymyl bryn
y castell yn Llanelli,
yn y patsh sownd, pitsiais i
ac Iwan dent fawr lân, las,
a llwyddo i gael lle addas
iddi hi yn y ddaear
a oedd, wir, drwch hir dri char
neu fwy o bob carafán,
a lled dau dractor llydan
bant, o oedd, o bob un tent,
di-ail westy o lasdent.

Heddiw'n gynnar daeth Pharo
heibio'n lord heb un helô.
Camodd, mesurodd y seit,
arsiodd o gylch ein hirseit,
a gwaeddodd ei gyhuddiad
dros Brifwyl annwyl fy ngwlad –

'Chi 'di creu problem,' stemiai
yn chwerw, 'fois, chi ar fai!'

Yn cŵl, llyncais Jaffa Cêc.
Eistedd. Tybio mai pistec
oedd ei araith gynddeiriog ...
Oedais, roedd ei lais fel og
yn troi pridd y tir: 'Pa ran
o eiriau y peg arian
bach 'ma so ti yn dïall?'

Pesychais, gwenais yn gall.
'Y peg,' dwedais heb regi,
'pan bitsiais, ni sylwais i
ar ei fodolaeth, waeth wedd
mewn gwair ddim un yn gorwedd
yma, wir, ar fy marw.
Ni allai, wir, ar fy llw.'

Bron i'n corddi ni droi'n hyll.
Cododd ei lais fel cudyll:

'Alla' i garantïo
iti, was, ei fod e 'to!'

Melltith ar dy lith, hen lanc!
Profa dy grap, yr afanc,
neu rho daw ar dy wewyr,
rho gorc ynddi'r bwli byr.
Lladdodd, un dydd, Ddafydd hen
y gŵr smyg, ie, Rhys Meigen;
canodd, pwniodd â'r pennill,
dychan y sod â chan sill,
tawodd, ac fe ddropiodd Rhys
yn ded iawn – nid daionus.

Ti, hen gi bach y gwahardd,
cei wers, byt: paid croesi bardd!

Sut gêm oedd hi?

Ie, collon ni, er trial yn galed, galed i ga'l y *win*.
O'n nhw jyst yn well, on'd ife, a ma'r stafell
newid yn gytid, 'na'r gwir.

Ie, i guro, rhaid sgori'r mwya' bob tro, fi ofan.
A wel, o'dd, o'dd y gêm mla'n o'r off.

Nawr, o'dd y reffo wir yn iawn? Sa i'n siŵr, no.
A *obviously*, ewn ni nôl, unweth fydd ongl
wa'nol, chi 'mo, gwylio 'da'n gilydd.

Ond, wel, ar ddiwedd y dydd, falle do'n ni'm
digon da'n neilo'r cyfleon ola' 'leni i ga'l y
winyr.

Ie, mla'n at y nesa' nyr.

Ga' i hon

I'r dafarn hwyr, Daf, ryw nos,
Agoraist dab ac aros
I brynu rhost mawr costus
I bawb drwy'r lle, bwydo'r llys,
I brynu i bawb ryw win bach,
Neu ryw gwrw rhagorach.

Pan ddoi di'n sobor fory
Efo'r lleill, Daf, i'r Llew Du,
Bydd y tab o ddiod teg
O hyd yn dal i redeg,
Yn llymaid arall imi ...
Ond Daf, cei'r nesaf gen i.

Stres mewn preseb

Dawel nos, dawel nos ... yn ôl y gân,
Ond gwn i'n wahanol,
Rhaid i mi'n fy ffwlbri ffôl
Amau geiriau'r hen garol.

Dawel nos? Nid o lanhau – y gegin
A gwagio'r holl finiau,
Prynu cant o bresantau,
A mwy o gost o'u hamgáu.

Yr holl waliau'n gardiau i gyd – rhai'n rhannu
Rhyw hanes â'r hollfyd,
Yna i bawb yn y byd
Anfon wnaf innau hefyd.

Brrr! Bu'n bwrw ben bore – nawr mae'n rhew
Mewn rhinc mawr anniben,
Minnau'n hwylio mewn halen
O sgwrio'n wyllt fy sgrin wen.

Lle bu o'r blaen haen o hud – yn gynfas
Darganfod dros wynfyd,
Heddiw'n blaen mae'r haen o hyd
Yn gynfas rhegi ynfyd.

Nadolig yr hen ddigon – Nadolig
Ein dyled ddigalon,
Nadolig dig a di-dôn,
Nadolig hen oedolion ...

Ond roedd stres yn y preseb – onid oedd?
A dau'n eu taerineb
Nos y geni'n holi heb
Na llety na gwell ateb.

Mair yn y silwair sala'n dwyn ei baich,
Duw'n y byd, ie, druan,
A Joseff yntau'n effian
Heb wal glyd, heb wely glân.

Boed i mi'n fy mhoeni maith – a dinod
Weld fod uniad perffaith
Dolig a straffîg yn ffaith
Anorffen ac amherffaith.

Ar ddiwrnod Santes Dwynwen

Gefn gaeaf, ni fynnaf i – liw dydd weld
Y ddôl wedi rhewi
Na'r adar yn byr oedi,
Dim un nant oer: dim ond ti.

Ond fe wn pam fod, i fi, yr adar
O hyd yn telori,
A'r llwydrew yn dadrewi:
Yn ddi-os, o d'achos di.

Tri

Rhag brath cawodydd trymion
Mae lloches ym mhob calon,
I mi rhag stormydd cas a braw
Rhew Ionawr, mae Rhiannon.

Ym mis y dyddiau byrion,
Pan guro'r tonnau geirwon,
Caf ddal yn dynn yn nwylo gwraig
Sy'n graig ym mrig yr eigion.

A ninnau yn gariadon
A gŵr a gwraig, Rhiannon,
Mae bod i Llew yn Mam a Dad
Ar gariad yn rhoi'r goron.

Y Pethau Bychain

Mae'n dywydd gwamal, Dewi,
Mae'r byd yn araf boethi,
I ble'r af innau rhag y glaw
Pan ddaw hi'n amser boddi?

Ni wn a fydd yfory
Ai glaw ai hindda'n twnnu,
Ond does dim drwg mewn llenwi myrdd
O fagiau gwyrdd ailgylchu.

Mae'r iaith yn marw, Dewi,
Be' wna' i rhag ei threngi?
Er pob rhyw ddeddf neu ddadl, wir,
Fe gollodd dir eleni.

Mesurau iaith y gwleidydd
Heb sgwrs a chlonc a dderfydd,
Rhaid ei harfer i'w hadfer hi,
Siarada di hi beunydd.

Ond Dewi, mae mor dywyll
Ym myd y gwalch a'r cudyll,
Pa iws rhoi coel ar obaith 'to
Tra bo rhyfeloedd erchyll?

Er dued y gorwelion
Mae haul ar eu hymylon,
Does dim i'w ennill o din-droi
A chnoi ar wae'n ddigalon.

Tra'r tyle, tra'r golomen,
Tra'r genedl a'r genhinen,
Cedwch yn daer o ddydd i ddydd
Eich ffydd, a byddwch lawen.

Daeth y cerddi i olau dydd am y tro cyntaf
naill ai ar lwyfannau cyhoeddus neu yn sgil comisiynau
o bob math. Diolch o galon i bawb am eu nawdd.

Yn ogystal â'r rhai a enwir yn nheitlau'r cerddi, hoffwn gydnabod y canlynol: rhaglen *Y Talwrn* BBC Radio Cymru: 'Ailagor', 'Iws Niws', 'Tair dihareb'; 'Harlech', 'Mynyddoedd', 'Cwlwm', 'Sut gêm oedd hi?' (cyhoeddwyd 'Mynyddoedd' o dan y teitl 'Pentref' yn A. Bianchi and S. Siviero (trans.), *Un Seme di Poesia* (Mobydick, 2009), ac felly hefyd 'Times Square' a 'Styc i'r styds'); dathlu deng mlynedd er sefydlu Côr Ger y Lli, 2015: 'Ger y Lli'; seremoni raddio UMCA, 2010: 'Yn y coch'; Bardd y Mis BBC Radio Cymru, Ionawr 2016: 'Potsian', 'Tri'; nosweithiau Bragdy'r Beirdd yn yr Eisteddfod Genedlaethol, 2014, 2016, 2018: 'Dychan i swyddog carafáns', 'Brexit', 'Mewn hiraeth am Aneirin' (recordiwyd ar gyfer podlediad Clera, Medi 2018, a chyhoeddwyd yn Aneirin Karadog, *Byw Iaith: taith i fyd y Llydaweg* (Gwasg Carreg Gwalch, 2019)); noson Cicio'r Bar yng Nghanolfan y Celfyddydau, Aberystwyth, Tachwedd 2018: 'I Gruffudd Owen'; stomp Llenyddiaeth Cymru yn yr Eisteddfod Genedlaethol, 2012 a 2015: 'Coron Ceri', 'I Hywel'; talwrn yn Theatr Felin-fach, Mai 2012: 'Pleidlais'; cyhoeddwyd 'Ffwrnes, Llanelli' a 'New Barn, Felindre' yn *Taliesin*; gweithdy cyfieithu ag academyddion o Kolkata ym Mhrifysgol Aberystwyth dan nawdd y Gyfnewidfa Lên a Llenyddiaeth ar Draws Ffiniau, Medi 2014: 'Ein hafon fach ni'; prosiectau Llenyddiaeth Cymru:

'Dylan', 'Ar ddiwrnod Santes Dwynwen'; calendr Capel y Morfa, 2018: 'Doethion'; Twf: 'Cymraeg o'r crud'; rhaglen *Cariad@Iaith* gan gwmni Fflic ar S4C, Mehefin 2015: 'Tafod newydd'; rhaglenni Dafydd a Caryl, Nia Roberts a Dei Tomos ar BBC Radio Cymru: 'Yn y sêt nesa' ata'i' (cyhoeddwyd yn Haf Llewelyn (gol.), *Wyneb y Bore Bach: cerddi am blant a phlentyndod* (Barddas, 2014)), 'Nyrfs', 'Ga' i hon', 'Stres mewn preseb'; Ifor ap Glyn (gol.), *Canrif yn Cofio: Hedd Wyn 1917–2017* (Gwasg Carreg Gwalch, 2017): 'Elis'; lansiad cylchgrawn *Y Stamp*, haf 2017: 'ystamp.cymru'; Geraint Roberts (gol.), *Casgliad o Gerddi* (Ysgol Farddol Caerfyrddin a Chanolfan Peniarth, 2017): 'Fy marf'; rhaglen *Dechrau Canu Dechrau Canmol* gan Avanti Media ar S4C, Chwefror 2017: 'Y Pethau Bychain'; ni fyddai 'Ffiniau' wedi dod i fod heb brosiectau cyfieithu'r Gyfnewidfa Lên a Llenyddiaeth ar Draws Ffiniau yng Nghymru ac yn India – a chyfeillgarwch Sampurna Chattarji! – na 'Porth' heb wahoddiad gan Lenyddiaeth Cymru i gynnal gweithdy yn Nhafwyl 2014 (fel rhai o gerddi eraill y gyfrol hon, cyhoeddwyd y ddwy awdl yn *Barddas*).

www.eurig.cymru